La Sagrada Magia de los Ángeles

La Sagrada Magia de los Ángeles

David Goddard

Grupo Editorial Tomo, S. A. de C. V.
Nicolás San Juan 1043
03100 México, D. F.

1a. edición, noviembre 2001.
2a. edición, septiembre 2003.

© *The Secret Magic of the Angels*
David Goddard 1996
Primero Publicado en Estados Unidos en 1996
por Samuel Weiser, Inc.
P.O. Box 612
York Beach. ME 03910-0612

© 2003, Grupo Editorial Tomo, S.A. de C.V.
Nicolás San Juan 1043, Col. Del Valle
03100 México, D.F.
Tels. 5575-6615, 5575-8701 y 5575-0186
Fax. 5575-6695
http://www.grupotomo.com.mx
ISBN: 970-666-446-7
Miembro de la Cámara Nacional
de la Industria Editorial No 2961

Traducción: Luis Miguel Nieto
Diseño de portada: Luis Rutiaga
Viñetas, Diseño y Formación Tipográfica: Luis Rutiaga
Supervisor de producción: Leonardo Figueroa

Impreso en México - *Printed in Mexico*

Dedicatoria

Para John del Águila,
que lleva al Cordero;
y para
Roma, mi madre,
que me enseñó a valorar la historia,
la naturaleza y lo "maravilloso",
como los libros escritos
por el dedo de Dios.

Contenido

Lista de Ilustraciones

Prefacio

Provengo de una familia de maestros y practicantes que a través de los siglos han preservado y transmitido esta magia angelical. Si seguimos en pie es porque nos apoyamos en los hombros de aquellos que nos antecedieron. Es su sabiduría y devoción, su valor e ingenio, su humor y esperanza, y su triunfo ante la adversidad lo que ha hecho posible este libro. Tuve la bendición de recibir sus enseñanzas y de que me encomendaran la tarea de trasmitir la magia angelical a la siguiente generación.

Esta magia sagrada mejora la vida y no puede usarse para mermarla. Es fácil de usar e incorruptible ante intenciones malignas.

A la transmisión de esta magia de los ángeles agregué en cada capítulo un ejercicio (una meditación o ceremonia guiada) diseñado para elevar la conciencia al nivel angélico. También profundicé en el conocimiento que adquirí tras 25 años de práctica y enseñanza. Todo sistema espiritual necesita crecer e interpretarse una y otra vez si va a transmitirse a las siguientes generaciones.

Lo que los ángeles nos dan es el conocimiento de que vivimos en un mundo donde incluso la ciega oscuridad tiene una gracia oculta; una gracia que es la fuente de toda magia, de todos los milagros —una gracia que reside en todas las almas.

Agradecimientos

Honro y agradezco a:

Harry Farrow y Bill Shepherd, quienes compartieron su gozo conmigo y me ayudaron a alcanzar la confianza; Madeline Montalban, pues a través de su instrumentalidad llegué a entender lo que había estado haciendo; y Olive Ashcroft, cuya integridad y amabilidad brillaron como una estrella. Los cuatro están ahora al lado de los ángeles.

Jim Pym, sanador y amigo, quien nunca perdió la visión cuando yo creí que se había ido; Simon Buxton, compañero y *heyokah*, quien fue el primero en señalar que yo había dado a luz; Karen y Jeff Charbonneau-Harrison, cuyo amor brilló como una puerta de Isis y cuyo apoyo nunca disminuyó. Beth Allen, cuyas oraciones me han impulsado.

Murray Langham, un "sacerdote del mar" de la Tierra de la Gran Nube Blanca, quien dio rosas doradas; Kim Langridge, hermano de alma a través del tiempo, sin sus escritos se hubiera perdido mucho;

Z'ev ben Shimon Halevi, un ángel, quien con compasión y humor me enseñó el valor del sentido común, en especial cuando se está entre lo divino.

Y mi compañero Patrick, de la tierra del Sidhe, una de las mayores bendiciones de Haniel en mi vida.

Para todos ustedes… *ad multos annos…*
para muchos años.

Introducción

*Mientras cantaban a coro las estrellas del alba
y lo aclamaban todos los hijos de Dios[1].*

Antes de todos los principios, Dios existía. Más allá de la comprensión, trascendiendo el entendimiento, solo con dicha inefable, Dios iba de eternidad a eternidad. En la profundidad de los consejos secretos de su ser, Dios quería crear. Del flujo desbordante de amor eterno surgió el deseo de reflejar su dicha, de derramar la plenitud de su vida infinita y así expresarse en una multitud de seres. Ya que no había nada más que él, su creación contemplada no podía ocurrir en ninguna parte más que en él mismo. Dios, al ser el gran iniciador, dispuesto a que la creación comenzara se convirtió en el sacrificio original, por medio de lo cual llegó a ser la mayoría. Brotó del corazón de siete grandes espíritus eternos. Éstos fueron los Elohim, los siete espíritus que están ante el trono.

---

1. Job 38:7.

Los Elohim actúan como un prisma a través del cual se refracta el brillo celestial del Señor. Son los agentes por los cuales se ejecuta la voluntad creativa. Siete son los Elohim, siete príncipes con regla cósmica —Uriel, Zadquiel, Kamael, Rafael, Haniel, Miguel y Gabriel— siete arcángeles de la presencia a través de quienes el esplendor divino brilla sin obstáculo. Los arcángeles están formados de luz, fuerza y energía pura, se habla de ellos en los textos antiguos como "Los Señores del fuego".

Ahí están expuestos como seres los planos de la existencia, reflejo de Dios, que emanan del espíritu enardecido y forman los planos mental y astral, y por medio de la interacción de los elementos, que son reflejos de las vivas Letras del Nombre, se crea la condición física completa. A través de estos cuatro mundos[2], como se denominan en la Cábala, fluye la vida divina que contiene el potencial de la super-abundancia de las criaturas vivas. La mente de Dios "soñó" todas las cosas.

Por su voluntad y con los Elohim como mediadores, obtuvieron existencia real los anfitriones angélicos, espíritus sin número de luz pura, jerarquías celestiales para cumplir las innumerables funciones requeridas por la creación. Los ángeles se alinean cerca del sol blanco de lo eterno como una corona de cristales incontables que refleja y refracta la gloria divina.

---

2. Por tradición son denominados los mundos de la emanación, la creación, la formación y la manifestación.

Cada ángel fue creado como una entidad inmortal, un ser de conciencia pura, ilimitado de tiempo o espacio. Cada uno está en profunda unión con Dios, regocijándose en una dicha perpetua ya que está inmerso en la radiante energía que proviene de la deidad. Como los ángeles reflejan al creador, en algún grado, cada ángel es un foco de poder, sabiduría y amor, son bellos igual que el Señor. Un ángel canaliza la luz divina sin distorsión y funciona en sincronía total con la voluntad de Dios. No tiene más voluntad que la del Señor.

El plano espiritual empezó a habitarse cuando los ángeles nacieron. Para que la voluntad del Señor estuviera completa, los ángeles (los hijos de la mañana) se convirtieron en copas en las cuales el Todopoderoso vertió su poder para que a través de ellos existieran los mundos y todo lo que estaba destinado a vivir en ellos; de manera que por el ministro angelical, esos mundos pueden sostenerse y sustentarse. Los arcángeles, que son conciencia pura, recibieron la "forma de pensamiento" de la creación directamente de la mente divina. Como la copia heliográfica de los arquitectos colocada en el restirador para que el maestro de obra vea y siga las instrucciones, los ángeles recibieron el plan maestro directo a su conciencia del gran arquitecto del universo. En este sentido, por la comunicación de ideas arquetípicas, el plano mental comenzó a desarrollarse. Como hijos del Creador, los ángeles también tienen el poder de la creación. Así como el Señor proyectó las ideas divinas de su mente y se hicieron realidad, los ángeles, en su grado, al guardar en su mente detalles del gran plan, fueron y son capaces de crear.

Se pensaba popularmente que Dios, el Todopoderoso, creó todas las cosas él solo. En la educación religiosa victoriana fueron populares las imágenes del creador pintando cada ala de las mariposas o dorando cada escama de los peces. Sin embargo, como un arquitecto, el Señor considera y dispone todo lo que debe ser y los ángeles, los constructores del universo, ejecutan el plan y logran que la visión del Artista Divino se manifieste. Pero los ángeles no son autómatas que sólo construyen, también son artesanos que adornan y embellecen lo que se decidió en la cúspide. Desde el nivel de los planos espirituales y los mentales más elevados, los ángeles proyectan desde sus mentes inmortales los patrones de energía sobre los cuales se construye la materia. Es como si Dios fuera un gran sol que iluminara con sus rayos todo el espacio y los ángeles absorbieran la luz y la energía y la enfocaran a través de ellos mismos para emanarla de nuevo a un área específica.

Los ángeles trabajan en cualquier plano de la existencia, su principal función es establecer las líneas de fuerza. Estas "líneas" son similares a las corrientes marinas. La fuerza inmensa de Dios es enfocada en patrones por los ángeles, con lo que hacen soleras sobre las cuales se construyen formas. Estas líneas primarias de fuerza son los anillos que no se pueden traspasar, a veces denominados el Cubo de Espacio. Estos definen los perímetros de creación, su altura, profundidad y anchura. Son los límites del jardín cerrado de tiempo y espacio en los que la vida se cultiva.

Una idea arquetípica existe en la mente divina del Señor. Por medio de los Elohim se transmite al plano espiritual, donde los arcángeles le dan sustancia y fuerza. Entonces desciende al plano astral, donde los ángeles le dan múltiples formas. Así que por ejemplo, el arquetipo del "gato" se convierte en los muchos gatos en sus diferentes variedades y razas. Sobre esta imagen astral, la materia física (los cuatro elementos combinados) se adhiere, crece y entonces se manifiesta de manera total. Todo lo que existe sobre el nivel físico existe porque primero fue concebido en la mente divina, después se le dio fuerza espiritual (o un patrón de energía) y luego una forma astral de la que creció y por la que se mantiene. La creación fluye de los planos interiores (divino, espiritual y astral) al plano físico y todo lo que vemos tuvo origen de una idea en la mente de Dios. Ya que el Señor es un "dios viviente", las ideas en la mente eterna están vivas también; y en su esencia más profunda, son eternas.

Es en este punto donde el pensamiento de un ocultista es muy diferente al del resto de la gente. El estudiante de ocultismo sabe que el poder de causa yace en los niveles interiores de ser. Lo que se produce con base en los niveles interiores, por las dinámicas universales, de manera automática busca manifestarse por encima del plano físico. Entonces, lo que para el inexperto parece "magia" (en el sentido popular de la palabra), en realidad es la ciencia de aplicar leyes poco conocidas por medio de las cuales se manifiestan cosas al parecer de la nada. La mayoría de las personas piensa que el plano físico es la realidad y si piensan en niveles interiores en cualquier grado, imaginan que son insustanciales y vagos. La verdad es que los niveles interiores son más "reales" y dan origen a lo físico.

Cualquier persona que haya tenido experiencia directa de los planos interiores lo sabe. Ya sea por una experiencia cercana a la muerte o por medio de una técnica de aumento de conciencia (meditación, proyección astral o viaje espiritual chamánico) ha visto brevemente el poder, la belleza y la maravilla de los niveles interiores de existencia de lo que el trabajo físico no es más que una sombra.

No se trata de menospreciar el nivel físico o de tratar de escapar de él pues la materia, como todo, es de origen divino y lo físico es la vestimenta de lo eterno. Pero muchos confunden la vestidura con lo que hay dentro.

Por desgracia, sucede lo mismo con gran parte del pensamiento relacionado con la individualidad humana. Algunos se identifican con tanta fuerza con su vestidura física, sus cuerpos, que para ellos eso es "todo". Otros, que tienen el conocimiento sobre la psique, el nivel del alma, adquirido a partir del análisis y la observación de sí mismos, piensan que este nivel de emociones y reacciones abrumadoras es el centro verdadero del ser. Mientras el místico y el mago saben: nos creaste para ser imagen de tu propia eternidad; somos creados espíritus inmortales para reflejar a Dios en la Tierra.

Creación

Después de que las líneas de fuerza de un universo se han establecido sobre el nivel astral, los átomos de materia para la construcción empiezan a adherirse a la red que las líneas definieron. Un número incalculable de átomos de hidrógeno se junta y apila para formar enormes nubes. Entonces, cuando hay suficiente material reunido, uno de los arcángeles solares adopta la nube como un cuerpo para sí. Sucede la ignición y ¡nace una estrella!

La multitud de estrellas es la primera encarnación física de la luz divina, pero también es los cuerpos físicos de los arcángeles cósmicos. El Sol, la estrella del día de nuestro sistema solar, es el cuerpo físico de un gran arcángel, uno de los Señores del fuego. Este particular tipo de ser angélico es un "hijo del dios estelar". Las estrellas son los cuerpos físicos y sus auras se extienden por toda la región de los sistemas solares que hay alrededor. Sus chakras, sus centros de especialización, son los planetas en órbita del sistema solar, nacidos del padre Sol. Para toda la vida creada en un sistema solar, el arcángel que es su Logos Solar es la fuente de toda la luz, vida y amor. En nuestro planeta, todo es una adaptación de poder solar y toda criatura viva es un canal para las corrientes de vida y fuerza que proceden de nuestro Logos Solar que es el creador de este sistema. El planeta Tierra surgió del corazón del Sol; todas las formas de vida que han vivido de manera subsecuente y que se han desarrollado en él son de origen solar y estelar, y continúan en existencia física mediante la adaptación de la energía solar.

Los antiguos sabios adoraban al Sol como la "representación visible del Altísimo". Nuestro Logos Solar recibe la influencia de los Elohim a través de los otros señores de las estrellas y, a su vez, irradia esta influencia sobre sus planetas cercanos. Cada planeta de nuestro sistema solar es una encarnación real, un chakra planetario de un tipo especializado de energía espiritual que invade de creación. Este conocimiento conforma las bases de la astrología esotérica y de la magia planetaria.

Una vez que un Logos Solar ha procreado sus planetas, establecido su sistema y marcado su espacio, diferentes anfitriones angélicos ayudan en la evolución de la vida consciente del sistema. Estos anfitriones supervisan el desarrollo de los planetas y sus lunas, de manera que con el curso de los eones, cada uno se convierta en una expresión perfecta de la idea primera que estuvo en la mente creativa del Señor.

Terra

Un planeta no es una masa inanimada en órbita alrededor de un sol. Es un ser vivo que eligió evolucionar por medio de dar un alma al planeta. Este ser planetario no es del reino de evolución de los ángeles; pertenece al punto más alto del reino elemental. Los ángeles de la naturaleza pueden considerarse como las comadronas de un planeta que verifican y facilitan la vida y crecimiento.

Durante los primeros milenios de la vida de un planeta, las fuerzas titánicas buscan alcanzar un estado relativo de equilibrio. Conforme los esfuerzos y el dinamismo de los elementos se vuelven armónicos, cada poder entonces eleva a los otros tres. Un ejemplo es un ciclo sencillo elemental: el agua se evapora con el fuego (calor solar) y se transforma en una nube gaseosa que se condensa de nuevo, cae en forma de lluvia y nutre la tierra; después pasa a las profundidades subterráneas de la Tierra y emerge como manantiales que alimentan a los ríos, fluye de vuelta a los mares y los enriquece de sedimentos. Parte del agua que emerge en la actualidad de arroyos burbujeantes cayó en forma de lluvia hace 10 mil años. Es un ciclo muy complejo y tiene muchas ramificaciones.

Sólo la conciencia de un ángel puede estar en alerta constante de él en cada fase y hacer los ajustes precisos de las poderosas fuerzas inherentes a él para mantener el equilibrio.

Un planeta evoluciona y crece a través de la vida de las criaturas que mantiene. En las primeras etapas de su existencia, la necesidad de nuestro planeta de experimentar y crecer fue satisfecha por los elementos, los espíritus que residen en los elementos a nivel etéreo, y esto fue suficiente. Más tarde fueron necesarios sensores sofisticados, formas de vida más complejas para la creciente conciencia de la Tierra.

Los devas, los ángeles de la naturaleza, empezaron a construir formas avanzadas a través de las cuales la vida podía expresarse; primero fueron bacterias y organismos unicelulares; luego formas más complejas que extraían energía directa del Sol (el reino de las plantas); después formas que extraían energía contenida en otras formas de vida (animales que extraen alimento de su medio ambiente por medio de las plantas y otros animales). Con su absorción de energía, esta flora y fauna mantuvieron vivo a un cuerpo; y a su debido tiempo se dejaba el cuerpo que entonces alimentaba al resto del sistema ecológico. Cada vez se creaba un organismo más sofisticado y la conciencia del planeta se elevaba de manera correspondiente.

Un cuerpo, un vehículo, es necesario para que el alma que lo habita sea efectiva sobre el nivel del que está construido el cuerpo. Sin un cuerpo, el alma no puede sentir o reaccionar a los estímulos de ese nivel particular. Por eso necesita un cuerpo para adquirir las experiencias que son parte integral de la existencia en ese nivel de ser. Lo mismo sucede en todos los reinos.

Hay un cuerpo etéreo, que es la red de energía que sostiene el vehículo físico; un cuerpo astral cuyos órganos sensitivos son las emociones y funciona por encima de los niveles psíquicos; un cuerpo mental que se mueve en los brillantes reinos del espíritu. Estos vehículos habilitan una conciencia difundida de manera diferente para enfocar y ser efectiva en cualquier reino en que se manifieste.

Las multitudes de especies de minerales, plantas y animales (24 variedades conocidas de libélulas, millones de peces, las grandiosas ballenas, la abundancia de aves que vuelan entre la tierra y el cielo, todo lo que nada, repta, vuela, corre o camina) son una expresión en la Tierra de la visión de Artista Eterno, creada a través de la instrumentalidad de los ángeles. La increíble belleza que vemos a nuestro alrededor en este maravilloso planeta fue creada por medio de los ángeles. El sentido de la belleza, el numen que percibimos en la naturaleza es la respuesta de nuestra psique a la mente angélica que concibe y manifiesta los fenómenos naturales ante nosotros. La belleza de este mundo es en efecto una "creación de los creados". Pero en el corazón de todo átomo está un fotón de luz que es la omnipresencia de Dios, que es todo en todo.

Las leyendas hablan del arcángel Haniel que embelleció la Tierra. Cuentan cómo Haniel tocó todas las cosas de la naturaleza y las hizo hermosas con la "raíz de la creación". La "raíz de la creación" se identifica en Oriente como el ginseng y en Occidente como la raíz de mandrágora. Disfrazado de Oberón, Rey de los Duendes, Haniel hizo que la Tierra se cubriera de un esplendor esmeralda, con bosques, junglas y amplias planicies de pasto verde; con plantas, flores y botones, hasta que la Tierra quedó adornada como un altar, como una ofrenda al Señor.

La aplicación mágica de esta leyenda es que, *una vez encarnado*, se puede invocar la raíz de la creación para producir "algo de gran belleza" para ayudar en el trabajo de vida.

Los reinos astrales, donde vemos las maravillas expresadas en literatura espiritual —los paisajes y templos del plano interiores más allá de las imágenes mortales— también son resultado de la construcción angélica de imágenes.

Los Poderes Sagrados de los Animales

Cuando la Tierra se convirtió en un ecosistema equilibrado, los ángeles empezaron la manifestación y refinamiento del reino animal. Los animales poseen un cuerpo, una capa etérea y un alma; también tienen personalidad, como puede testificar cualquier persona que tenga mascota. El punto donde difieren los animales de la humanidad es que una especie animal tiene un espíritu colectivo o identidad superior.

Si tomamos como ejemplo a una especie, la familia de los felinos, la identidad superior de todos los gatos es un ser arcangélico. Desde que la familia de los felinos se manifestó por primera vez en este planeta, este arcángel particular —el gran gato— ha dado alma al patrón de energía espiritual que es el espíritu colectivo de todos los gatos. Este aspecto del ministerio de los ángeles se plasma muy bien en la novela de Charles Williams, *The Place of the Lion*[3]. Este gran gato supervisa a todos los gatos que existen, grandes y pequeños.

El ángel con el tiempo ha refinado la evolución física de la familia felina y ha experimentado según ciertos lineamientos en la producción de aquellas especies dentro de la familia más aptas para sus entornos. El gran gato tiene plena conciencia de todos los gatos que existen —desde el león hasta el gato callejero— y cada criatura por separado enriquece el arquetipo original con sus propias experiencias.

Este ángel de la familia es la respuesta al poeta William Blake cuando pregunta sobre el tigre, "¿qué

---

3. Charles Williams, *The Place of the Lion* (Grand Rapids, Michigan: Editorial Eerdmans)

mano u ojo *inmortal* concibió tu temible simetría?"[4] Puesto que todos los gatos están unidos en el nivel más profundo, lastimar a uno es lastimar a todos.

En la historia de nuestro planeta, algunas especies se han vuelto redundantes. Fueron útiles al planeta en una etapa pero después crecieron en demasía y se retiraron del nivel físico. Estas especies extintas se encuentran todavía en los mundos superiores y quizá se manifiesten de nuevo en otros planetas del universo que pasen por las mismas etapas por las que pasó nuestro planeta.

Los dinosaurios son un ejemplo obvio, pero hay muchos otros. Los ángeles son los realistas máximos. Como cualquier criador, impulsan las razas exitosas y eliminan las redundantes.

Como un maestro dijo: "Las aves nunca estudiaron aerodinámica; pero los ángeles sí" —de hecho, ellos la inventaron.

No hay nada "dulce" o sentimental sobre los devas de la naturaleza. Pero su aparente crueldad no es resultado de la falta de sensibilidad, como sucede con frecuencia en las relaciones entre humanos y animales. Un ángel sabe que la vida no puede extinguirse. Un ser cambia, adopta muchas formas a lo largo de su camino, pero es eterno. No hay muerte, sólo cambio de mundos.

---

4. William Blake, "The Tygre", en *Blake: Complete Writings*, editado por Geoffrey Keynes (Londres: Oxford University Press, 1966), líneas 3-4.

En comparación con los humanos, la mayoría de los animales alcanza la madurez en un corto periodo. Aparte de algunas lecciones básicas de sus padres (incluso las pequeñas águilas necesitan un impulso), la mayoría de los animales jóvenes tiene un impresionante repertorio de habilidades. Nosotros denominamos instinto a su conocimiento innato. Lo que queremos decir es que ya han tenido acceso a la información que necesitan.

Esto es porque toda la experiencia de las especies se amalgama en la mente del grupo y es accesible para todos los miembros de la especie. El arcángel que es el espíritu de la especie, su ángel guardián, da espíritu a la mente del grupo.

En la tradición chamánica, estos ángeles de la especie son llamados los poderes sagrados de los animales. Cuando un chamán en estado de trance viaja por los niveles interiores busca un "animal de poder". Una vez que lo encuentra, esa criatura se convierte en el ayudante o aliado del chamán para su trabajo. El chamán recibe consejo y energía del animal de poder. Para distinguir entre los miembros de una especie animal y el ángel que le da vida, los chamanes hablan al "búfalo" o al "halcón", con lo cual se denota al animal divino, al ángel, y no a los muchos animales físicos que surgen de él. Aquellos que experimentaron un viaje espiritual en busca de un tótem saben que el animal de poder, cuando se halla, está cargado de energía divina, la cual mucho después del encuentro primero hace estremecer al alma del buscador al ver miembros de esa especie en particular.

Humanidad

Un zoologista una vez usó un año como modelo para retratar la historia biológica. Al usar este modelo, la humanidad llegó a la Tierra a las 11:40 PM del 31 de diciembre. Con la llegada de la humanidad, la evolución del planeta Tierra sufrió un salto cuántico.

Un humano es el punto medio matemático entre una galaxia y un átomo. Comparado con lo vasto e infinitesimal, un ser humano es el microcosmos, el lado pequeño que puede admirar con conciencia la serenidad macrocósmica del Señor. El cuerpo humano contiene el mismo número de células que el número de cuerpos humanos necesarios para reunir la masa de una estrella.

El cuerpo humano básico evolucionó del mono antropoide o primate. Sin embargo, existe diferencia entre la constitución del hombre y la del reino animal. Se enseña que los Elohim diseñaron a los humanos poniéndose como molde; en el Génesis, los Elohim dicen, "hagamos al hombre a nuestra imagen" (Génesis 1:26). Esto no significa que estamos hechos en apariencia como los Elohim; la imagen es algo más sutil. Los humanos, a diferencia de otras criaturas sobre la Tierra, contienen siete chakras, las siete estrellas internas como se les llama a veces, que son centros para la recepción y distribución de energías. El candelero de siete brazos, el menorá —que permaneció en el Tabernáculo de Moisés y en el Templo de Salomón— simboliza la naturaleza de siete divisiones de la humanidad que refleja poderes creativos. Esto significa que los Elohim están dentro y fuera de nosotros, lo que nos permite comunicarnos con ellos.

Cuando la forma humana se completó, por primera vez en este sistema, el Logos Solar evocó las chispas divinas del corazón del Señor que eligió tomar la cubierta de carne humana para experimentar su propia naturaleza de Dios con conciencia desarrollada. Para que este desarrollo potencial fuera total, recibieron el libre albedrío.

El libre albedrío no es sólo la habilidad de elegir, de decidir; también es la habilidad para funcionar en diferentes niveles de conciencia desde las superconciencia hasta la inconciencia. La "voluntad", que es conciencia en acción, puede dirigirse con libertad. Los seres humanos tienen libre albedrío porque tienen una identidad individual superior, misma que no comparten con otras de las especies humanas. Esto quiere decir que cada ser humano tiene individualidad completa, una identidad superior independiente y el potencial para lograr una unión consciente con lo divino.

Los primeros humanos fueron vulnerables, criaturas indefensas en un ambiente hostil. En los poderes sagrados de los animales la humanidad primitiva buscaba conocimiento y supervivencia. Al observar el reino animal, nuestros ancestros aprendieron qué raíces, hierbas, frutas y cortezas eran nutritivas o curativas; cómo cazar, cómo predecir el clima y cómo ejercitar una sensibilidad empática con la tierra. Conforme la humanidad creció, algunos poderes sagrados de los animales se convirtieron en tótems de clan o de tribu, criaturas de gran importancia para el bienestar del grupo.

Con el paso del tiempo, los cultos de los diversos tótems se desarrollaron hasta ser panteones de deidades, cada uno con su mito y culto. Fue así como los ángeles fueron los primeros dioses adorados por la humanidad.

Los ángeles que dan espíritu al reino animal, los devas de la montaña, el lago y el árbol, los sitios espirituales, fueron venerados por los primeros humanos. Con el tiempo, estos cultos se convirtieron en los grandes panteones clásicos de la historia, con las formas de Dios astrales como formas de pensamiento creadas por la humanidad que los ángeles podían adoptar y así entrar en el inconsciente colectivo de la humanidad.

En los primeros tiempos llegaron a la antigua humanidad los grandes espíritus que la tradición nombra como los ángeles maestros del hombre. Estos maestros angelicales llegaron a preparar la conciencia humana para su tarea, para informarle de la naturaleza del universo y el lugar de la humanidad en el esquema general. Dichos ángeles se comunicaron con individuos humanos que tenían una naturaleza sensible a sus niveles interiores. Hoy en día conocemos a esas personas como psíquicos; en aquel entonces se les conocía como soñadores, individuos cuyas facultades imaginativas e intuitivas estaban muy desarrolladas.

La imaginación —la habilidad de formular imágenes en la mente— es esencial para la comunicación entre los niveles. Las imágenes mentales son formas, tal como el concreto en su nivel es una forma física. Todo es cuestión de vibración.

Los ángeles construyeron todo con proyección mental. La creación del universo por el Señor fue un acto de creación mental. No hay nada que veamos en el mundo físico hoy que no haya sido primero una imagen en la conciencia. La habilidad humana para imaginar es parte del potencial divino de nuestra naturaleza similar a la de Dios. Samuel Coleridge, el poeta místico, escribió:

> *"Creo que la imaginación primaria es el poder vivo y el agente principal de toda la percepción humana, y como una repetición en la mente finita del acto eterno de creación en el infinito* **yo soy***".*[5]

Los ángeles de la enseñanza instruyeron a los primeros soñadores y videntes con signos y símbolos,

---

5. Samuel Taylor Coleridge, *Biographia Literaria*, editada por George Watson (Boston: C.E. Tuttle, 1993), p. 167.

también utilizaron a los reinos vegetal y animal como sus mensajeros.

Con el paso del tiempo, los soñadores se convirtieron en los primeros sacerdotes y sacerdotisas, cristalizaron la enseñanza que recibieron de los ángeles en un sistema de teúrgia, de magia sagrada. Su propósito era dar poder a hombres y mujeres para invocar la ayuda de los ángeles en su camino evolutivo.

Todas las tribus, naciones, civilizaciones y culturas humanas mencionan a los seres brillantes en sus mitos y leyendas. Cuentan cómo estos entes alados han ayudado y auxiliado en la curación y liberación de los necesitados.

Entre algunos de los norteamericanos nativos, estos entes celestiales se conocen como seres con poderes misteriosos, los pequeños enigmas. Los hindúes y los budistas los llaman los devas, un nombre que tiene el mismo significado que el dado por los celtas (las personas de sueño de Occidente), los seres brillantes.

En la primavera del mundo, la humanidad y los ángeles convivían con libertad entre sí, con el conocimiento de que estaban relacionados y unidos por la virtud de la vida del Señor.

Como la humanidad descendió mucho más a la materia para desarrollar otros aspectos de la conciencia, los ángeles parecieron retirarse.

Existe una profecía de que en la era de Acuario —el tiempo actual— los ángeles y los humanos aprenderán a caminar juntos de nuevo. Con el fin de contribuir al cumplimiento de esta profecía, la sagrada magia de los ángeles se envía al mundo.

La
Sagrada Magia
de los
Ángeles

Capítulo 1

Los Señores del Fuego

*...envía a sus ángeles como el viento,
hace de sus servidores una llama ardiente.*[1]

En el trabajo práctico de la magia sagrada hay nueve ángeles principales a los que se invoca. Por tradición se les nombra los "ángeles maestros del hombre". Consisten en seis arcángeles y tres ángeles. Sin embargo, el sistema no está restringido a estos nueve. También hay técnicas que se enseñan para convocar la ayuda de cualquier miembro de los anfitriones angélicos pero los ángeles maestros son los "agentes" principales del ministerio angelical.

Con el trabajo con estos nueve ángeles de la luz se nos ayuda a seguir adelante en la evolución de la individualización a la universalización.

---

1. Hebreos 1:7.

Los arcángeles son seres reales de condición superhumana aunque no tienen cuerpo físico. Son *Señores del Fuego*, una evolución de vida previa a la humanidad. Organizan las fuerzas inherentes a la creación. Los ángeles no tienen género. Su forma real va más allá de nuestra habilidad actual de entendimiento pues es algo parecido a un patrón geométrico complejo, incandescente como fuegos artificiales. Pero los ángeles sí adoptan formas que podemos captar.

Lo hacen por dos razones: para que los percibamos en un nivel más cercano al nuestro y ocultar o disminuir la intensidad de sus vibraciones para que sobrellevemos su presencia. Por lo general, los seres angélicos aparecen de la misma estatura y forma que los humanos.

Sus ojos son largos y rasgados y a menudo se describen como de "duende" o "felino". Sus inmensas auras dan la impresión de ser enormes alas de colores vivos. A veces aparecen como pilares vivientes de luz y color y sólo son visibles los rasgos de la cara. Como protección, es mejor construir las imágenes antropomórficas de hombres jóvenes con fuertes alas de águila detrás de las cuales todo está a salvo.

Examinaremos a cada uno de los nueve ángeles maestros por separado. Sólo haré sugerencias para visualizarlos como base para que construyas *tu propia imagen* de estos seres.

Arcángel Miguel

Miguel es el señor del Sol, el príncipe del cielo, gobierna el signo zodiacal de Leo, el signo real del león. El domingo es su día de poder. Su nombre significa "perfección de Dios".

El arcángel Miguel ayuda en todos los asuntos de logro, apoya con ambición legítima; ayuda a todos, desde el director del comité del parque local hasta al primer ministro. De hecho, Miguel controla todos los aspectos de gobierno aunque lo sensato es primero aplicar el esfuerzo personal. Su ayuda puede buscarse para alcanzar el destino de tu encarnación. Él rige el matrimonio y la argolla de matrimonio de oro es sagrada para él. Rige la música en todas sus etapas, de la composición a la ejecución. También es el patrono de los sacerdotes verdaderos. Es el ángel del verano, el periodo de más luz.

La "órbita de tiempo" del arcángel Miguel (el tiempo máximo en el que su magia da resultados) es de un año, el tiempo que tarda el Sol en pasar por los 12 signos del zodiaco.

Muchas criaturas responden a la energía de Miguel. Todos los gatos —desde uno pequeño hasta un tigre, desde un birmano hasta un león— son de él y puedes llamarlo para ayudar a un gato con el que compartes tu vida. El armiño europeo, del cual los reyes utilizan su abrigo de invierno, es de Miguel así como el mirlo, el pájaro-druida de los celtas. Sus insectos son la mariposa dorada o amarilla y la típula. Su árbol es el laurel, que se atribuía a Apolo en la Grecia antigua. Este arcángel habilita a la naranja y la granada, el girasol, la caléndula y todo tipo de orquídeas, además del metal oro.

El arcángel Miguel puede visualizarse como una figura formada de luz solar cálida y viva, con grandes alas de aura de color dorado y rosa salmón. Porta una lanza de fuego, la lanza del Sol. Su deslumbrante compostura es difícil de mirar pues es como el aro del sol.

Arcángel Gabriel

Gabriel es el señor de la Luna, rector de las mareas interiores y guardián de la casa del tesoro de almas e imágenes. Trabaja sobre todo a través de los planos etéreo y astral, es fundamental para todas las magias. Gabriel instruye a través de la mente subconsciente, donde actúa como el heraldo de la identidad superior. También se le pide el desarrollo de casi todas las facultades psíquicas pues su progreso está relacionado con el sutil cuerpo astro-etéreo y el crecimiento o desarrollo de la facultad de la imaginación. Gabriel es el rector de la estación de la cosecha, el otoño.

Las noches de Luna nueva y Luna llena son sagradas para el arcángel Gabriel así como cada lunes (día de la Luna) de la semana. Todos los asuntos domésticos están bajo su mano, desde los muebles hasta los aparatos. Si necesitas camas nuevas pero no puedes comprarlas, debes invocar a Gabriel.

En la mayoría de los asuntos para los que necesites llamar al arcángel Gabriel utiliza las tabletas de poder que se muestran en el capítulo 2. Sin embargo, hay veces en que su apoyo se necesita y la Luna no está en la fase correcta. En estos casos, usa la forma de una "Carta de Petición", con sus propios signos del capítulo 4. También hay un talismán especial de Gabriel para necesidades domésticas y aparatos, el cual se explica en el capítulo 6. Invoca al arcángel Gabriel para encontrar una casa nueva pero asegúrate de pedir un "hogar bueno y feliz".

La "órbita de tiempo" del arcángel Gabriel ocurre en múltiplos de tres: tres semanas, tres meses o nueve meses. En el capítulo 4 hay sugerencias de cómo visualizar a Gabriel, una discusión sobre sus signos y ejemplos de sus criaturas y plantas.

Ángel Samael

Samael es el gran ángel protector. Rige al planeta Marte y también los dos signos zodiacales cuyas energías controla este planeta: Aries, el carnero, y Escorpión. Algunas escrituras han dado al ángel Samael una mala reputación que es totalmente injusta.

Marte y Escorpión también participan en esto. El día sagrado de Samael es el martes y es entonces cuando debe invocársele.

El ángel Samael debe invocarse para todos los asuntos que requieren valor o perseverancia hasta el último momento como la superación de obstáculos, la destreza manual y la tonicidad muscular, o la protección de los miembros de las fuerzas armadas. También protege al cuerpo físico y regula la interacción con nuestros enemigos.

Existe una gran diferencia entre "enemigos" y "rivales". Los rivales compiten con nosotros en alguna esfera de actividad que elegimos y de hecho *ayudan* porque hacen que demos lo mejor de nosotros, hacen que nos esforcemos más y nos hacen más conscientes de nosotros mismos y de nuestro potencial. Los enemigos nos desean el mal y sólo esperan que fracasemos. Aún así, estos enemigos pueden ser maestros al enseñarnos cosas sobre nosotros que la mayoría de nuestros amigos nunca nos diría. Pero hay veces que necesitamos protegernos contra la maldad de la gente que actúa con odio. Los lazos más fuertes que se forjan entre las personas son los de odio o amor; esto se debe a que el odio es una forma invertida del amor.

Los ángeles no gustan del odio o la violencia, ya sea que se trate de violencia física, emocional o mental; por eso el ángel Samael no destruye al enemigo. Las maneras de actuar de los ángeles son más sutiles.

Aunque puedes pensar que tu "mundo" es grande, en la mayoría de los casos no lo es. "Tu" mundo consiste en los lugares que conoces, visitas y frecuentas con regularidad, tu ambiente familiar. Cuando pides a un ángel ayuda para superar a tu enemigo, el ángel sólo los retira a ambos del mismo "mundo".

Con mucha frecuencia he visto al enemigo de alguien tener una nueva oportunidad abierta en la vida, una oferta de un nuevo trabajo o un ascenso que ofrece al "enemigo" más satisfacción y felicidad en otro lado. Según su libre albedrío, decide irse. Quizá pienses "pero no quiero que le pase algo bueno a mi enemigo después de todo el dolor que me ha causado". Pero en ello yace la diferencia entre la mayoría de los humanos y los ángeles. Un ángel alcanza la solución deseada sin violencia. Un ángel retira la agresión o la malicia de un enemigo al negarle que ejerza influencia en tu vida y tú no tienes la necesidad de contaminar tu mente, sentimientos y alma con la oscura mancha del odio.

El signo de llamado personal del ángel Samael es la espada desenvainada y en alto. Las criaturas que están bajo su influencia, y que por ello son sagradas para él, son el zorro, el carnero y el escorpión, así como el gorrión y el petirrojo. Los árboles de su propiedad son el castaño de Indias y todos los molles. El cardo, el loto, la peonía y todas las flores rojas, excepto la amapola, son sus plantas sagradas. Todos los insectos con aguijón, salvo la abeja, también son sagrados para él. Este ángel trabaja muy rápido y por lo regular da resultados en menos de tres meses[2]. El ángel Samael se visualiza como un gran ser de flama escarlata, con chispas verdes. Lleva una armadura con apariencia de vidrio, empuña una espada de fuego y carga un escudo blanco sobre el que aparece el Yod-He-Vau-He, del Tetragrámaton sagrado.

Arcángel Rafael

El nombre Rafael es hebreo y significa "Dios lo ha curado". De ahí que Rafael sea el curador por excelencia. En este sistema, el arcángel Rafael es el rector del planeta Mercurio y por lo tanto también de los dos signos zodiacales de Geminis, los mellizos (originalmente los pilares del templo), y Virgo, la virgen celestial que también es Deméter, la madre Tierra.

El día de poder de Rafael es el miércoles. En el antiguo Egipto, Rafael se concebía como Thoth, el escriba de los dioses e inventor del alfabeto.

Rafael es principalmente el arcángel de la comunicación y como tal es un trabajador veloz.

---

2. La "órbita de tiempo" de los ángeles se refiere al mayor periodo que les toma producir los resultados que se les ha pedido. He sabido de casos del arcángel Miguel, cuya órbita de tiempo es de un año, producir resultados ocho días depués de la invocación y en otros casos, 360 días más tarde. La órbita de tiempo significa que en algún punto dentro de ese periodo se manifestará el resultado.

Es muy rápido en sus resultados; tan rápido, que por lo general los deja en tus manos y deja que los resuelvas. Su rectoría se extiende a todas las formas de comunicación, contratos, avisos, documentos, faxes, computadoras y al lenguaje mismo. Rafael te ayuda a desarrollar fluidez de pensamiento y lenguaje, extiende la memoria y enfoca la concentración; por eso es a quien se invoca para exámenes de cualquier tipo. Los negocios que dependen de documentación o papeleo y del acto de escribir en sí recaen bajo el control de Rafael. Es de gran ayuda en el "cierre de contratos" y ayuda a manejar las burocracias cuya misión parece ser confundir a la gente con papeles y que a menudo rechazan las formas incorrectas. Este arcángel rige las cuestiones de salud de niños pequeños de hasta siete años así como la salud de animales jóvenes y pequeños.

Si no sabes quién gobierna un aspecto particular, puedes invocar al arcángel Rafael con la petición "al ángel que rige, por medio del arcángel Rafael". Pide a Rafael que "lleve" tu petición a otro ángel, lo cual es muy útil si los resultados del ángel que rige son lentos (por ejemplo, Cassiel de Saturno). A través de Rafael, llevas el asunto a su órbita de tiempo. Rafael es tan rápido que su tiempo de órbita es "ahora".

Las criaturas que vibran en la influencia de Rafael son los monos y las ardillas. Las aves en general están relacionadas con la influencia de Rafael, en particular la urraca, la alondra y todas las moscas sin aguijón son sagradas para él. Los árboles álamo, abedul plateado y todas las plantas de flor amarilla, helechos y "maleza" también son suyas. Como ya se mencionó, Rafael está asociado con la forma egipcia del Dios Thoth (que se representa con la cabeza de un ibis).

Entre los antiguos, los pensamientos se comparaban con aves volando a través del cielo de la conciencia por lo que Rafael es el arcángel de la esfera mental. Rafael es el rector angélico de la primavera, cuando la fuerza de vida despierta y surge del sueño del invierno y todo se renueva.

El arcángel Rafael se visualiza con claridad como un ser formado de luz amarilla y dorada, de rápidos movimientos. Lleva el caduceo y tiene seis alas, dos en las sienes, dos en los hombros y dos en los tobillos. Tiene un topacio sobre la frente y sus vibraciones son muy rápidas.

Ángel Sachiel

El ángel Sachiel es el señor de Júpiter y, como en la astrología antigua, es el rector de los dos signos de Sagitario, el centauro, y Piscis, el pez mellizo. En astrología, el planeta Júpiter es el gran poder benévolo y Sachiel sin duda lo refleja en su relación con la humanidad. Sachiel "comparte" el jueves con el ángel Asariel de Neptuno. Si bien en la astrología moderna, el signo de Piscis se atribuye al planeta Neptuno, en la antigüedad de esta magia se ligaba a Júpiter y así es todavía por razones de magia práctica.

La rectoría del ángel Sachiel se extiende a todas las cuestiones financieras, como el incremento de los ingresos, ayuda a recuperar el dinero del acreedor y pagar deudas pendientes, todos los problemas con bancos y apoyo para conseguir un aumento de salario. Invoca a este ángel para que te ayude a ganar dinero y te limpiara el camino. Pide dinero en espera de no hacer esfuerzo alguno por él y la petición llegará a oídos sordos. Se sabe que Sachiel ha accedido a peticiones en las que se esperaba obtener dinero sin esfuerzo, pero a pesar de que los solicitantes recibieron el dinero, sucedió con muchos conflictos y problemas para hacerlos más sabios. Estos poderosos seres son bien llamados los ángeles maestros.

En todos los asuntos legales, de problemas menores a casos de corte, el ángel Sachiel trata con la reconciliación de la justicia humana con la justicia divina. Por lo tanto rige a abogados y procuradores, la posición social y el aseguramiento de ayuda por parte de personas con autoridad (los textos antiguos hablan de "jueces y reyes", ahora diríamos los poderosos y los que tienen influencias). Sachiel se invoca para ayudar a mejorar cualquier situación de dinero. También acrecienta la suerte o la fortuna. En el capítulo 6 hay talismanes específicos para invocar la ayuda de Sachiel en asuntos financieros o legales.

La flora y fauna que coincide con la influencia del ángel Sachiel incluye peces, ballenas, delfines, elefantes, ganado vacuno (ya sea toros o vacas) y caballos. Las plantas lila, lavanda, lunaria, todas las flores o arbustos de botón morado son suyas y el gran roble, así como la vid. Las aves de agua son especiales para este ángel, en particular el cisne y el pato. La abeja expresa la influencia del ángel Sachiel en el reino de los insectos. Su tiempo de órbita es benévolo y no mayor de seis meses.

Visualiza a este señor del fuego en luz morada y violeta con vibrantes motas doradas. Sus alas de aura son azul zafiro. Su vibración es majestuosa y cubierta de serenidad que surge de la piedad eterna. Sobre su cabeza brilla una flama azul que representa su servicio en el Ejército de Chasmalim bajo el arcángel Zadquiel.

Arcángel Asariel

Este ángel rige el planeta Neptuno y "comparte" el jueves con el ángel Sachiel. Rige todas las formas de medianía y trabajo de trance. Rara vez se le invoca ya que su rectoría es muy rara y especializada. Los caballos son sagrados para él y puede llamársele para curarlos. Se le invoca tanto a través del arcángel Gabriel como del arcángel Rafael. Sus colores son los verdes del mar y su símbolo es el tridente de Poseidón.

Arcángel Haniel

El nombre Haniel significa la "gracia de Dios" o la "cara de Dios". Mucho del trabajo de Haniel está conectado con los devas de la naturaleza y los anfitriones del País de las Hadas. Haniel está vinculado con el gran misericordioso, conocido en Oriente como Avalokiteshvara, el bodhisattva de la compasión, llamado en China Kwan-Yin y en el Tíbet Chenrezi, que encarna como el Karmapa y el Dalai Lama. Haniel es el gran arcángel del planeta Venus y rector de dos signos zodiacales; Libra, la balanza, y Tauro, el toro. La función principal de Haniel es la creación de toda la belleza y el incremento del amor y el afecto, la paz y la armonía. Uno de sus talismanes especiales es la "Rueda del Amor" que se usa para curar lazos de amor dañados por riñas, circunstancias adversas o sentimientos nocivos (ver capítulo 6). El viernes es el día sagrado para Haniel y la magia del amor. Este arcángel preside los asuntos de amor y todas las cuestiones de afecto entre toda la gente y formas de vida. Regula las artes creativas, sobre todo el teatro y el mejoramiento de la belleza en todas sus formas (también los peinadores). Para cualquier trabajo de creatividad en el que necesites inspiración y ayuda, recurre a este arcángel. La órbita de tiempo de Haniel es de dos años.

Como todas las formas de amor son controladas por Haniel, no es sorprendente el hecho de que las mascotas domésticas son sagradas para él, así como los conejos y venados. Las golondrinas, las palomas (por tradición aves de la diosa Venus) y los pericos australianos también son suyos. El manzano y su fruto, el caqui, el delfinio y todas las especies de rosa pertenecen al arcángel de Venus. Todas las mariposas son sagradas para Haniel, con excepción de las variedades doradas y amarillas, que pertenecen al arcángel Miguel, y las mariposas blancas y nocturnas, que son sagradas para Gabriel.

Debido a la rectoría de Haniel sobre el amor y el afecto, es probable que sea uno de los miembros más invocados de la evolución angélica. El abuso de amor o el amor no correspondido son de los sufrimientos emocionales mayores que los humanos enfrentan. Puede afectar su respuesta ante otras personas y ante la vida misma durante muchos años, si no es que durante muchas vidas. Es difícil pero cierto que una de las mayores lecciones que aprendemos en el camino es amar sin posesividad y con responsabilidad. Muchas de las peticiones al arcángel Haniel surgen de gente que ya tiene a una persona en mente, alguien que creen que debe amarlos.

En ocasiones atraemos a gente que no es buena para nosotros; la constitución psicológica atrae individuos caóticos o destructivos ante los que tenemos una respuesta emocional. A pesar de que a veces el karma pasado se compensa con vínculos emocionales, no se compensa con martirio emocional. La compensación se realiza, en la mayoría de los casos, al aceptar el hecho desagradable de que los lazos emocionales del pasado deben estar en barbecho hasta que ambos crezcan un poco. No trates de cambiar a una persona en contra de su voluntad. Cualquier cambio verdadero y duradero debe provenir del interior.

En vez de eso, enfoca tus energías en convertirte en una pareja responsable y afectiva. Así, por la ley universal de la atracción, el amor vendrá a ti. Puedes tocar al amor verdadero, hablar, llorar y reír con él, pero no con una obsesión mental de lo que no puede ser. Invoca a Haniel para que te ayude a acercar a ti una "pareja afectiva y responsable" sin nombre y el arcángel te llevará a la persona perfecta para tu estado actual de crecimiento y necesidades. El arcángel sabe mucho mejor que tú quién te hará una mejor persona y a quién enriquecerás. Pues es éste el secreto del amor verdadero: que las energías espirituales que se canalizan entre dos personas que están juntas sean mayores de las que producirían como seres individuales. Por este amor, todos los que están en contacto con ellos se enriquecen, la humanidad se ennoblece y el universo se alimenta. Es cierto que ningún hombre vive para sí mismo; es igualmente cierto que el amor de todo hombre y mujer no es para ellos solos. Todas las formas de vida de este planeta consisten en tres aspectos: femenino, masculino y divino y el amor es la unidad primaria.

El arcángel Haniel puede visualizarse formado de verde esmeralda y dorado fuego con el color de la rosa en la región del corazón. A menudo lo acompañan los leopardos mellizos. Los rasgos del arcángel son de belleza celestial. Crea un sentido de amor profundo que es curativo y tranquilizador. Esta atmósfera dura varios días después de la invocación y a veces se percibe el aroma a rosas.

Ángel Cassiel

Este ser angélico supervisa las energías del planeta Saturno y del signo zodiacal Capricornio, la cabra marina. En la astrología moderna, Saturno tiene una mala reputación como "maléfico" debido a su influencia de limitación, rigor y la enseñanza de experiencias de vida. De hecho, el planeta es el gran maestro que libera a los individuos de la falsa enseñanza y les muestra cómo vencer obstáculos, sobre todo durante el tiempo del regreso de Saturno en un horóscopo. Uno de los aspectos más útiles de la disciplina de Saturno es que enseña a la gente a no traspasar su lugar en el universo, a no entrar a donde los ángeles temen incursionar.

Los obstáculos en la vida de hecho son benéficos para nosotros. Si todo fuera fácil y sencillo, no haríamos esfuerzo alguno por lograr las cosas y las fortalezas y talentos ocultos nunca se manifestarían. Nunca se nos prueba más allá de nuestra fuerza; el conocimiento del Cielo sobre nuestro poder es más profundo que el propio. La vida no está planeada para ser un día de descanso a pesar de lo que algunas filosofías pretenden establecer. La vida física es una preparación de educación para un destino mayor. Tenemos días libres *entre* vidas. Las situaciones, las personas y las circunstancias nos ayudan a desarrollar el potencial completo, no son castigos de un "dios vengativo", sino lecciones que elegimos vivir para ser humanos por completo, para evolucionar de hombre animal a hombre ángel. Y por eso los ángeles maestros nos ayudan y guían si se lo permitimos.

Si temes que un periodo de prueba se asome en el horizonte, no pidas a los ángeles que lo eviten. Solicita tener "fuerza y sabiduría para enfrentar la severa prueba que se avecina"[3]. A veces el hecho de que hayas pedido este tipo de ayuda hace que la prueba sea redundante y no se presenta. O si se da, sentirás apoyo y ánimo durante la misma y entenderás con claridad la enseñanza que la prueba pretende transmitir.

Una de las grandes lecciones que como humanos, como individuos y como especie debemos aprender es que no somos y nunca hemos sido autosuficientes. En un universo que es una gran red de vida interconectada, la independencia total es imposible.

---

3. Es sólo una forma de expresar una petición; ten la libertad de usar cualquier frase que sea más cómoda para ti.

Todo lo que sucede a una persona afecta al todo, tiene qué ver con el todo y es importante para el todo. El movimiento de los gusanos bajo tierra agita al trono de Dios. Ya que tenemos libertad de voluntad, no hay poder o principio que interfiera, sin que lo pidamos, con la humanidad. Los ángeles pueden vernos en pena pero no deben dar su ayuda por la fuerza, ya que el libre albedrío es parte de nuestra herencia divina. La lección que debemos aprender es nunca ser tan orgullosos para no pedir ayuda. La "ayuda" es la invocación, oración o mantra más poderoso del universo. Con confianza estira tu mano hacia las estrellas, pide ayuda y no estarás solo. Te lo digo por experiencia.

El ángel Cassiel comparte el Sábado con el arcángel Uriel. La rectoría de Cassiel comprende todos los asuntos de propiedad, tierra y agricultura. También rige la estructura física de casas y edificios para que resistan y tengan buena restauración. Le conciernen las personas mayores (y los animales), así como los dones y las lecciones que la edad conlleva. Ayuda en la pobreza y las enfermedades crónicas. Con los ancianos, sin duda proporciona alivio de las enfermedades de la edad avanzada, aunque no necesariamente las cura por completo. Ayuda en el ajuste de testamentos y todos los asuntos de personas fallecidas, que han sido "llamadas a la Luz". Preside el karma, la ley universal de causa y efecto y las pruebas que deben enfrentarse. Por ello, a veces se llama a

Cassiel la "Parca" y a veces el Ángel del Destino. Da sus bendiciones en la edad adulta a menos que Saturno esté bien situado en tu tabla. Cassiel trabaja con mucha lentitud pero también con mucha seguridad. Su órbita de tiempo es de cuatro años, el tiempo que toma a Saturno dar la vuelta al Sol.

Las criaturas sagradas para el ángel Cassiel son la tortuga, el ratón de agua y de campo. Entre los que tienen alas se encuentran el loro (de larga vida), el cuervo y el grajo. Los insectos de movimiento lento y los gusanos están bajo su influencia. Todos los árboles siempre verdes y los de lento crecimiento son de él. El carbón mineral, el plomo metálico, los áloes amargos, las frutas deshidratadas y todas las hierbas amargas también son del uso de este ángel.

El ángel Cassiel puede visualizarse como un pilar de oscuridad iridiscente, negro como las alas del cuervo, que contienen azul, violeta y morado. Existe un cáliz plateado en el centro de su corazón rodeado de luz escarlata. Sus vibraciones son inmensas y triturantes; hablan de una energía que era antigua desde antes de que el tiempo naciera.

Arcángel Uriel

Este gran señor del fuego comparte el Sábado como el día de invocación con el ángel Cassiel. El nombre Uriel significa "luz de Dios". Este arcángel rige el

planeta Urano y el signo zodiacal de Acuario, el
aguatero. Rige la estación de invierno y es el regente,
bajo Dios, del elemento tierra. Uriel es un "ángel del
trono de Dios", uno que lleva el Merkabbah. Como
el transmisor de la fuerza mágica en sí, es por ende
un ser de tremendo poder al que nunca debe invocarse a la ligera. Las funciones básicas de Uriel son la
transmisión del poder mágico y guiar el alma del
individuo a su espíritu por medio del Camino a la
Iniciación. Por lo tanto, sólo se le invoca en presencia
de enfermedades del sistema nervioso y, de otra forma, sólo con magia. De acuerdo a una tradición, el
arcángel Uriel fue enviado a destruir la tierra perdida
de Atlantis por su oscura corrupción de las artes
mágicas. Esto se representa en la decimosexta carta
del tarot, "La torre golpeada por el relámpago". Uriel
tiene gran afinidad con la misteriosa fuerza llamada
electricidad. Su presencia se manifiesta con aparatos eléctricos que se funden o focos que fallan;
también hace presencia con tormentas eléctricas.

Uriel rige la separación y el divorcio, rompe los
lazos con paz y efectividad. Es el patrón de la astrología y dador de inspiración. Su forma de producir
resultados cuando se le ha invocado es repentina y a
menudo devastadora, así que prepárate para los trastornos en tu vida cuando lo llames. El arcángel Uriel
llevará a cabo el "milagro de la undécima hora";
cuando se haya perdido toda esperanza o el tiempo
esté en tú contra, invócalo y descenderá en forma

repentina y dramática. Hará a un lado la ley natural y pondrá al mundo de cabeza; sabrás que la era de los milagros no ha terminado y "el Señor es Dios". La órbita de tiempo de Uriel no existe como tal. Responde de acuerdo a la necesidad; si la petición debe responderse, lo hace casi al instante. Insisto, Uriel es un ángel del trono de poder devastador, la personificación de la magia misma y no debe invocársele a la ligera.

Los cristales de cuarzo, como son los transmisores más exactos de energía eléctrica, son sagrados para Uriel; literalmente son "luz congelada". El arco iris es un presagio que Uriel usa a menudo para comunicarse con nosotros. Las flores multicolores y las hortensias, que cambian su color, son suyas. Las frutas mango y plátano; el lagarto, el camaleón y el fabuloso unicornio responden ante este arcángel, así como la libélula. Hay una poderosa magia de tormenta, con el uso de las flechas de los cielos, que Uriel enseñará a aquellos de su elección.

Muchos estudiantes de ocultismo conocen al arcángel Uriel sólo en su aspecto de regente del elemento tierra. No están conscientes de su naturaleza "superior".

Uriel es arcángel de la esfera retirada: Da'ath, conocimiento; y del arquetipo Edén. Este aspecto mellizo se relaciona con la rectoría de Uriel sobre la fuerza secreta, presente en el nivel Tierra y ascendente hacia los centros.

Este arcángel se concibe como un ser de inmensa estatura que sostiene un quemador de incienso, una flama o una lámpara. Puede visualizarse como un ser formado del brillo del arco iris con alas de aura de un azul eléctrico, una diadema de cristal luce sobre su cabeza. Sus ojos penetran el universo.

Las Alas

A lo largo de la historia de la Tierra, pueblos y naciones, mitos y leyendas, folklore y descripciones visionarias han hablado de mensajeros del Cielo como seres "alados". Desde un punto de vista simbólico significaría tan sólo que estos mensajeros eran rápidos. Para los antiguos, pocas cosas eran más rápidas que el vuelo en descenso de un águila. Sin embargo, en la descripción de los ángeles se menciona con frecuencia el término "alas del aura".

El aura es el campo de fuerza que rodea a cada ser y criatura. El análisis cercano del aura revela que no es un campo compuesto de varias capas de energía. Un aura más bien está compuesta de trillones de líneas de energía separadas que emergen del cuerpo físico.

Estas líneas se extienden hacia fuera de cada célula y su densidad da la apariencia de un campo cohesivo. Son como los filamentos que se extienden desde el tallo central de una pluma. Este fenómeno es bien conocido en el trabajo de curación, donde se limpia el aura pasando las manos con fuerza por el campo de la misma. Es como cepillar o peinar partes oscuras que provienen de la enfermedad para eliminarlas de la parte externa de los filamentos del aura. De hecho, en la curación chamánica, una pluma real (de águila por lo general) es la herramienta usada para limpiar el campo de energía. De todas las criaturas físicas, las aves suelen tener el ritmo vibratorio más rápido, por lo que los chamanes aprecian sus plumas como instrumentos para influir sobre los campos sutiles que rodean a los humanos.

Los ángeles tienen auras inmensas que se extienden en algunos casos como el deva de una montaña, por millas. La atribución histórica de las alas a los ángeles es resultado de las mentes subconscientes de videntes humanos que "visten" las auras de los ángeles de una forma que su mente consciente puede aprehender.

Ángeles y Arcángeles

Se habrá notado que algunos de los ángeles maestros se denominan "arcángeles" y otros sólo "ángeles". Un arcángel es la cabeza de un ejército de ángeles. Por ejemplo, el arcángel Haniel es la cabeza del ejército de los Elohim, mientras el arcángel Gabriel rige a los querubines. Debajo del Señor, los arcángeles rigen el sinnúmero de brillantes ejércitos de ángeles de luz.

Un "ángel" es miembro de un ejército angélico: el ángel Samael es de la legión de los serafines y el ángel Cassiel es del coro de los aralim. Esta distinción de rango entre los ángeles maestros no tiene importancia práctica al trabajar con la magia sagrada. Sin embargo ayuda a explicar brevemente la distinción.

Algunos lectores de este libro tienen familiaridad con la Cábala, la sabiduría eterna como se ha transmitido a través de la Tradición del Misterio Occidental. Esta explicación es para los lectores que aún no experimentan las maravillas del Árbol de la Vida y las brillantes sendas que ofrece con sus frutos inmarcesibles y las hojas destinadas a la curación de las naciones. La Cábala es un modelo de existencia que los ángeles dan a la humanidad. Esta sabiduría sagrada asigna varios ángeles a diferentes aspectos universales que prevalecen desde la creación. Los ángeles maestros usados en este sistema de teúrgia son los arcángeles Gabriel, Rafael, Haniel, Uriel y Miguel. Ellos pertenecen a aquellos centros de influencia (llamados Sephiroth en la Cábala) que en los humanos están dentro del rango de la autoconciencia.

Los ángeles Samael, Sachiel y Cassiel se relacionan con los centros de influencia transpersonales o superconscientes, con la dimensión cósmica de la que la mayoría de la humanidad no está consciente en estos días. Son tan asombrosos estos centros de la porción superior del Árbol de la Vida que sus arcángeles rectores no pueden comunicarse con nosotros de manera efectiva y por lo tanto, no pueden enseñarnos con comodidad. Así que estos arcángeles designaron ciertos ángeles (Samael, Sachiel y Cassiel) de los coros que rigen para instruir a la humanidad en evolución.

Atribución Solar

Algunos estudiantes pueden confundirse con la atribución de este sistema del arcángel Miguel al Sol y del arcángel Rafael a Mercurio. Entre las diferentes escuelas del misterio, algunas atribuyen a Rafael a la esfera del Sol y a Miguel a la esfera representada por el planeta Mercurio, mientras otros colocan a Miguel en el Sol y a Rafael en Mercurio. Esta contradicción ha existido durante mucho tiempo y es útil explicarla.

La mayoría de las escuelas de Occidente se basa en la filosofía de la Cábala. Este antiguo sistema se divide en dos corrientes básicas. Judaico o Rabínico, la Cábala es aquella corriente de la tradición desarrollada por la Casa de Israel, aprendida de Moisés y los profetas. Desde entonces se ha transmitido de maestro a pupilo durante generaciones. La contribución de la Cábala Judaica al cuerpo del conocimiento mundial del misterio es incalculable, desde Salomón hasta Rabbi Yohai, desde Moisés Cordevero al Baal-Shem-Tov y los primeros maestros de Hasidismo, hasta nuestros días, con eminentes maestros como Z'ev ven Shimon Halevi.

La segunda corriente de la Cábala en la Tradición Occidental es conocida como la "Cábala Alquímica" o a veces con menos cordialidad, "Cábala Pagana". La Cábala Alquímica se sostiene sobre la misma filosofía que la Cábala Judaica pero sus métodos difieren al usar también simbolismo tomado del antiguo clero del Mediterráneo. La Cábala Alquímica, por ejemplo, proyecta la colocación del tarot y los panteones de las deidades del misterio por encima del mandato del Árbol de la Vida.

A pesar de que se dice a veces que la Cábala Judaica es más auténtica y antigua que su hermana occidental, en realidad la enseñanza esencial precede por mucho a Israel. La enseñanza primordial era la esencia de los Grandes Misterios de Egipto (aquel lugar donde la luz se concentraba) y se derivó a su vez de los "portadores de semillas" de la tierra perdida de Atlantis. De hecho, la Cábala Judaica en sí no se formuló por completo sino hasta que se "fertilizó en forma cruzada" por la filosofía neoplatónica, cuando ambas corrientes influyeron entre sí en la gran Escuela de Alejandría. También se debe tener en mente que cualquier tradición espiritual expresa su vitalidad al evolucionar y dar a conocer sus enseñanzas en nuevas formas y no sólo habla a las generaciones con el paso del tiempo.

Para cada nación sobre la Tierra hay un ángel principal (en la Biblia se hace referencia a los ángeles de Persia e Israel) cuyo papel es inspirar a la nación en la satisfacción de su *darma,* su destino propio y único, cuyo logro enriquecerá a toda vida. El ángel de Israel es el arcángel Miguel, quien ofrece las oraciones de Israel ante el Señor. Las escrituras hebreas, por lo tanto, enfatizaron el papel de Miguel como el protector celestial e intercesor para los niños de Israel. La Iglesia cristiana, haciendo uso de las imágenes del Antiguo Testamento en su liturgia, también invoca al arcángel Miguel como defensor celestial. Como consecuencia, la Cábala Judaica colocó al arcángel Miguel en la estación del Sol, que es de manera simultánea la esfera del espíritu.

El ángel rector de la civilización europea es el arcángel Rafael, cuyo aspecto en la antigua Grecia era el del dios Apolo. Igual que Rafael, Apolo era el patrón de la curación, la educación y la comunicación. En esto notamos con claridad el *darma* (trabajo espiritual) de la cultura europea y su influencia global. La educación para toda la gente, la panacea de la ciencia de la medicina y la comunicación a nivel mundial han sido frutos de los pueblos europeos y sus viajes. En forma adversa, desde luego, existe un karma qué compensar por las influencias negativas esparcidas por el imperialismo europeo. Por esto, muchas escuelas del misterio occidentales atribuyen al arcángel Rafael a la esfera del Sol.

Dada la extrema antigüedad de la sagrada magia de los ángeles, se sigue la misma atribución de la Cábala Judaica: el arcángel Miguel está asignado al

Sol y el arcángel Rafael, al planeta Mercurio. Este sistema de teúrgia celestial es una porción antigua y poco conocida de la Cábala Santa. Durante un tiempo, este conocimiento se reservó sólo para los iniciados de los templos de los Misterios. Ahora, en esta época en que la humanidad parece empezar a madurar, este conocimiento esotérico está diseminándose como nunca antes para que tú y otros a través de ti experimenten en forma directa la maravillosa ayuda y el amor de estos seres brillantes, los ángeles de la luz.

Beth Malakhim, Templo de los Ángeles

Este viaje interior puede usarse como medio de introducción a los ángeles maestros si no has trabajado con ellos. Asegúrate de que no se te moleste, respira profundamente y con ritmo, de manera natural. De tus pies hacia arriba, tensa los músculos y después relájalos. Cuando te sientas tranquilo empieza a visualizar las imágenes de esta meditación, permite que tomen claridad y viveza tridimensional. Trata de usar tus sentidos en este viaje, permite que el tacto, el olfato, el oído y la vista te den el beneficio completo de esta comunión con los ángeles de la luz.

Ve ante ti una puerta de trilito; sus soportes traseros y sus dinteles superiores están formados de cristales perfectos. Entre sus débiles columnas cuelga una cortina color índigo, azul violeta profundo, como el cielo de la noche justo después de ponerse el sol y antes de que aparezcan las estrellas. Este velo místico crece de una brisa desconocida. En el centro del velo brilla con claridad una sola estrella. Enfoca tu atención mental sobre esta puerta entre los mundos hasta que tu concentración haga que el cristal irradie una luz intensa, más y más brillante y un halo de luz de arco iris emane del portal. Escuchas una sola nota alta, como una campana plateada.

Ahora, te acercas a la puerta y atraviesas el velo. Estás parado sobre la orilla de un lago tan quieto como un vidrio, con una bruma suave sobre la superficie. Una luz suave y clara se filtra del cielo, sin luminarias que ver. Estás vestido con un manto verde olivo que tiene un cordón blanco, llevas puestas sandalias de piel gruesa y una pesada capa negra te envuelve y protege del frío. Hay un aire de serenidad en este lugar, una sensación de paz profunda, no hay sonido, sólo el silencio, la luz tenue y las quietas aguas.

Escuchas el sonido de las olas al abrirse las aguas ante el paso de un bote, parecen venir de la parte del lago donde la bruma es más espesa. Observas que no estás inquieto en lo absoluto, pero sientes curiosidad por saber qué clase de embarcación navega por ese sagrado lago. Desde la bruma, un bote de proa alta emerge y se hace visible. Está hecho de madera antigua y seca, la orilla del casco está grabada con letras de oro, en una lengua que no reconoces pero te provoca una extraña resonancia. La proa tiene un grabado semejante a una mano que sostiene una lámpara y en ésta fulge una flama violeta. Seis remos, tres de cada lado, impulsan a la extraña embarcación, los remeros son altos, seres esbeltos, vestidos y encapuchados de plata. Conforme el barco avanza, da la vuelta y ves su longitud. Cerca de la popa hay un asiento alto de madera, está vacío. El barco deja de moverse a tres metros de la orilla. Los remos descansan, los seres de plateado se levantan y ven hacia ti. El silencio llega de nuevo y el lago vuelve a su quietud anterior.

Te sientes un tanto avergonzado conforme el silencio se acentúa y no se pronuncia palabra. "Tal vez" piensas, "estos seres no pueden hablar". Vacilante, muestras tus sentimientos para manifestar que vienes como "buscador de la luz". Tan pronto como el centro de tu corazón se mueve para llegar a los seres de plata, percibes que te inunda su bienvenida como un estallido de gozo. Con su saludo, que va más allá del discurso, viene el conocimiento de que vinieron desde lejos para conocerte. Emprendieron el camino hacia ti en el instante en que decidiste hacer este viaje a través del espacio interior, pero no pueden acercarse más a la orilla. Tú debes ir a ellos, cruzar ese último espacio que los separa.

Debes decidir ahora, ¿deseas ir al Templo de los Altos Servidores del Señor o es una empresa muy dura? ¿Qué esconden las quietas aguas detrás de su superficie aparentemente plácida? ¿Qué sabes en realidad acerca de los seres extraños y ocultos que tripulan el fantástico barco, tan cerca de ti y de un estilo de vida opuesto por completo? En las profundidades de tu ser, sopesa tu corazón. Si tienes dudas o temor, entonces con ese autoconocimiento vuelve a través de la vela índigo en la puerta de cristal a las formas de la humanidad durmiente. Habrá otras oportunidades en el gran viaje para llevarte a esa orilla. Sin embargo, si tu corazón arde dentro de ti, si tu alma ansía eso que por sí solo perdura, entonces entra en las aguas. ¡Decide ahora!

Da un paso en las frías aguas, sientes el fondo del lago debajo de ti, da otro paso y otro. Las aguas ahora llegan a tus rodillas, de repente te das cuenta que las aguas son maravillosas. El tacto del agua fría te colma de una profunda paz. Las aguas alivian dolores y heridas que no habían sanado. Como la lluvia en el desierto, llenan los profundos rincones de tu alma y ahuyentan toda dificultad. De manera sorpresiva te hincas en el agua, dejando que llegue a tus hombros, después inclinas la cabeza y te cubre.

Sales del agua como un delfín, saltando de gusto. Tus sentidos se han elevado, aumentado su claridad y ves sobre la superficie del agua que entre tú y el bote hay un camino formado de luz dorada. Proviene de la embarcación, de los gloriosos seres que ahora ves sobre la cubierta. Figuras altas, brillantes y serenas, arropadas y aladas de luz, sus ojos irradian inmenso gozo, se dirigen a ti igual que sus brazos extendidos. Flotas sobre las aguas (levantado por un pensamiento angélico) en el camino dorado. Ves que tus ropas ahora son blancas como la nieve y tus sandalias son de hierbas tejidas, adornadas con flores de verano. Sin darte cuenta del movimiento, como un viento ligero te encuentras a bordo, rodeado por estas personificaciones vivientes de amor.

Es parecido a reunirse con viejos amigos a quienes siempre has conocido pero olvidaste por un tiempo. Es una sensación de plenitud. La proximidad de los ángeles aclara tu mente, vigoriza y estimula tu aura. La comunicación no tiene obstáculos y es rápida pues tu tasa de vibración básica es acelerada por estos seres de luz. Son del ejército de los querubines y fueron mandados para llevarte ante el gran ángel maestro de la humanidad. El barco da la vuelta, los seis remos se levantan y se sumergen en las aguas quietas, empieza a moverse hacia delante como un cisne hacia la bruma de color gris perla.

Conforme la embarcación entra en la bruma, tu visión se limita, ves menos y menos hasta que los extremos del barco desaparecen. Al engrosarse la bruma, los ángeles se desvanecen. Por un momento estás al filo de la angustia, ¿se han ido tus recién encontrados acompañantes?, ¿los encontraste para perderlos tan pronto? "Mira a la proa" dice una voz interior. Aún puedes ver la flama violeta que brilla con claridad y sin sombras. Te abres con tus sentidos internos y encuentras la presencia de los ángeles que acarician tu mente y te dejan saber que a pesar de que no siempre están a la vista, en todo momento están ahí si los llamas.

La bruma a la distancia empieza a adelgazar, ves una neblina dorada tenue hacia la que el barco navega en forma inequívoca. La embarcación emerge en la cálida luz dorada. Todo alrededor son aguas quietas pero ahora reflejan una cielo dorado que brilla con claridad sobre toda la belleza de un sol y la suavidad de una luna. Te das cuenta que hay puntos brillosos de luz que flotan en el aire, vuelan y descienden en el cielo dorado. Tus acompañantes angelicales empiezan a cantar, alto y puro como campanas de templo, un peán de alegría. Notas que comulgan con las luces del cielo, que en respuesta se acercan cantando mientras se mueven. Ahora ves que también son ángeles. Sin limitación alguna se elevan en la luz del eterno día. Algunos llevan copas, cálices y descienden a la superficie del lago, que aún tiene la apariencia de vidrio, con movimientos de libélulas celestiales. Llenan los cálices del lago y vuelan hacia arriba como cometas.

Tu curiosidad crece, como respuesta, uno de los querubines explica de inmediato: "Estos son los ministros de la consolación. En respuesta a una oración verdadera llevan las copas llenadas en las quietas aguas de aquellos que sufren o necesitan. ¿No te has percatado aún lo que son estas aguas? Mira las profundidades del lago". Así lo haces, ves debajo de la plácida superficie ¡mareas ondulantes de fuego! Desconcertado, preguntas al querubín. "Las aguas quietas" explica, "son el 'mezla', la gracia. De este lago, todos los centros de curación de la Tierra adquieren su poder. A este lago, los alados traen al sueño a aquellos que sufren. De este lago, esos ángeles cargados atraen el rocío celestial y lo llevan a quienes están en el plano de la Tierra y tienen necesidad. Ésta es una de las razones por las que fue necesario que te bañaras en las aguas antes de venir a nosotros". Uno de los otros querubines de a bordo se acerca a ti, con una copa de cristal en la que brillan las aguas quietas y te la ofrece. Tomas la copa que contiene la vida de los mundos y bebes de esa paz que trasciende el entendimiento.

Adelante aparece una isla cubierta de árboles y arriba de la colina alta del centro se encuentra un gran templo octagonal construido de luz solar viva. La radiante estructura está coronada por domos, cúpulas y alminares llenos de gracia, su imagen se refleja en todos los lados sobre la superficie del lago curativo. El barco se acerca y entra a la isla mística. Una brisa tibia sale de la isla, con el aroma de los árboles de laurel y olíbano que la adornan. No puedes ver ningún camino y te preguntas cómo harás para llegar al templo. Hay un sonido como la cadencia de las campanas, así aprendes que los ángeles sí ríen. Con una sonrisa, dos de tus acompañantes colocan sus fuertes brazos en tu cintura, abren sus enormes alas y se elevan contigo en el aire. Los otros cuatro querubines te acompañan adelante y atrás, cantando de nuevo. Con esta escolta gozosa de ángeles eres transportado a la colina, sobre la entrada del templo a través de una alta ventana de rosas y te dejan en el piso de mosaico del santuario.

El templo es vasto, es tan alto que apenas se distingue la parte superior. Adentro, las paredes doradas son de un color ámbar bañado de sol. Al este hay un gran *menorá* de siete brazos, la lámpara de los Elohim, cada copa iluminada con una flama de un color, las siete hacen el espectro del arco iris. En un lado está un pilar de mármol negro y en el otro un pilar de diamante. En el centro del templo, al final de un estrado de cuatro escalones, está un altar simple blanco de forma cúbica, su simplicidad destaca en este glorioso edificio. Sobre el altar, bañada por un rayo de suave luz estelar, está una rosa dorada amarilla en la que brilla una gota de rocío del primer amanecer.

Los seis querubines forman un semicírculo alrededor y detrás de ti. El rayo de luz estelar brilla con más intensidad y una voz fuerte dice: **"Miguel"**. Una columna de luz dorada y salmón de unos ocho metros aparece cerca del altar. **"Gabriel, Samael"**, dice la voz. Dos grandes columnas, una plateada y azul, la otra de escarlata intenso, flanquean a la primera columna. De nuevo se oye la voz: **"¡Rafael, Sachiel,**

Asariel!" Tres brillantes columnas más se unen a la primera, una de amarillo vivo, una violeta y morado y otra verde mar. Por tercera vez, la voz llena el templo: **"¡Haniel, Cassiel, Uriel!"** Otra trinidad de rayos luminosos se une a los primeros seis, uno rosa pálido y turquesa, otro de verdes y azules intensos y el tercero es brillante como un relámpago congelado. Las nueve resplandecientes columnas están cerca del altar, se oyen grandiosas cuerdas musicales y rayos veloces y coloridos pasan entre ellas mientras se hablan entre sí. Los querubines se iluminan como en respuesta a la presencia de los ángeles señores.

La voz vuelve a hablar, diciendo tu nombre. Das un paso adelante, sorprendido por las grandes columnas de fuerza multicolores. Las columnas empiezan a moverse del altar alrededor de ti, como si te examinaran. Cada columna crea una respuesta emocional diferente en ti. Poco tiempo después, tu sorpresa se transforma en placer por la belleza de esas luces. Sientes primero el toque mental de Rafael, tu conciencia se estimula con su toque.

Saludos, hijo de la Tierra. Mis hermanos y yo estamos complacidos de que llegaras hasta este lugar. Fuimos designados por el Señor para ayudar a instruir a tu especie para su viaje de regreso a la divinidad. Ahora que has venido, nuestro trabajo juntos puede empezar de verdad. Debes saber que nunca te daremos la espalda, siempre acudiremos cuando llames pero puedes, si así lo deseas, darnos la espalda. Nosotros somos constantes como aquel de cuya luz nacimos, nosotros permanecemos.

Somos servidores del Señor, lo que ves de nosotros ahora es un velo de nuestra forma verdadera cuya luz lastimaría a la persona no preparada. Puesto que somos los miembros de nuestro tipo con los que al principio trabajarás más tomaremos presencias de pensamiento, formas más familiares a tu mente. Por ende, podemos convertirnos en más que maestros y pupilo, habremos de ser "amigos" pues tu vida y la nuestra son una sola en Dios.

Mientras habla, la columna amarilla que es Rafael se convierte en una figura parecida a Mercurio con las tradicionales sandalias aladas y caduceo. Sólo los ojos amplios y rasgados retienen sus características angélicas. La columna morada de Sachiel toma una majestuosa figura violeta de gran benevolencia. Gabriel aparece como un atleta griego en una túnica azul y plateada, Samael como un caballero en un sobretodo escarlata con una espada de brillo, Miguel como un sacerdote vestido de dorado, Asariel es arropado de verde mar con un tridente de plata, Haniel como una hermosa mujer vestida de turquesa con una guirnalda de rosas rosas en su rojo cabello cobrizo, Cassiel va coronado con mármol negro y vestido de verde oscuro con una capa de piel de marta, y por último, Uriel en ropa de arco iris con una flama limpia flotando sobre su cabeza. Con los ángeles maestros en estas formas, te sientes menos impresionado, más capaz de acercarte a ellos, como es su intención. Juntos comparten momentos de comunión privada.

Después, Uriel da una señal a sus ocho hermanos, tú retrocedes y ellos recuperan la apariencia de altas columnas de luz reluciente. Forman un anillo cerca del altar y empiezan a circularlo más y más rápido hasta que no puedes identificar las columnas separadas en su fusión, crean un gran torbellino de luz colorida.

Se hacen más altas, con más brillo, intensidad y poder ¡y se van! Donde estaba el altar ahora está la puerta de cristal entre los mundos, con su velo de índigo adornado con una sola estrella.

Te despides de los querubines que tripularon el barco con el conocimiento intuitivo de que volverás. Te acercas a la puerta de cristal, el velo índigo se agita y se abre, cruzas la puerta que está en equilibrio entre ambos mundos, mientras escuchas una vez más la voz de Rafael: "Cuando llames, acudiremos".

Viajaste lejos y profundo. Reconoce el peso y el calor de tu cuerpo físico, el aire en tus pulmones, la humedad de tu boca. Repite tu nombre un par de veces para establecer tu identidad. Asegúrate de estar de vuelta por completo en este nivel de realidad.

Toma algo caliente y un pan o sándwich para ayudarte a terminar el viaje. Escribe tus registros del viaje de visión tan pronto como sea posible pues como en un sueño, la intensidad y los detalles pronto se desvanecen.

Capítulo 2

La Magia de la Luna

En el primer rango vi a Gabriel, como una doncella
o como la Luna entre las estrellas... Él es el más
hermoso de los ángeles.[1]

Desde tiempos inmemoriales, la Luna se ha asociado con el misterio y la magia. Sus fases fluctuantes, al crecer y decrecer, han sido una fuente de asombro para la humanidad. Su belleza ha inspirado a incontables poetas y artistas. La Luna fue (y es) adorada como el símbolo de la gran Isis. El poder lunar es la base de las magias naturales del chamán y el wiccan. Durante milenios, los que tienen el conocimiento han usado las tremendas energías lunares para gobernar las mareas de la vida física. Por el poder de la Luna se regula el descenso y el flujo de océanos y mares, se da el nacimiento, crecimiento y decadencia de plantas

---

1. Sufi Ruzebehan Baqli

y animales y se despiertan los sueños secretos de los humanos.

En el plano físico de manifestación, la Luna ejerce un efecto gravitacional en todos los fluidos. Ya que estamos formados por un 90 por ciento de agua, cuando se llega al momento de la marea más alta del mes somos afectados en la profundidad de nuestra psique (cosas extrañas suceden) y nuestras energías latentes se acercan al umbral de la conciencia. Por eso, todos los ejercicios esotéricos diseñados para producir desarrollo psíquico (sea clarividencia o viaje astral) son más efectivos con Luna llena. En ese momento, la Luna se convierte en el espejo mágico del Sol y los mundos están alineados. Ésta es la causa también de gran parte de la inestabilidad mental que ocurre cuando la Luna está llena y se podría dar más ayuda si aquellos cuya vocación es cuidar a los que sufren estudiaran el conocimiento de la Luna.

En el horóscopo de un individuo, la posición de la Luna significa el tipo de alma (psique), mientras el Sol indica el tipo de espíritu que busca expresarse a través del individuo. Un ritual establece: "Con la madre (Luna) están las llaves de la vida; pero con el padre (Sol) están las llaves del espíritu".[2] Como la Luna material recibe luz y energía del Sol y la refleja a la Tierra, el alma recibe su iluminación del espíritu y, según su alineación, refleja esa luz interior y la

---

2. Dion Fortune, *The Sea Priestess* (York Beach, ME: Samuel Weiser, 1978).

manifiesta. Como una Luna creciente, algunas almas muestran sólo una fracción del esplendor del espíritu, mientras otras, como una Luna oscura, están escondidas del todo debajo de la sombra material de la Tierra y no tienen conciencia de muchos niveles de ser. También existen las almas hermosas que, como la Luna llena, vierten su refulgencia en la Tierra y convierten la noche en una día iluminado.

Los antiguos conocían a la Luna como la Reina del Cielo y como el alma del mundo, con lo que querían decir que la Luna desempeña el mismo papel en relación con nuestro planeta que el que desempeña la mente subconsciente con un individuo. Todo nacimiento, crianza y crecimiento en una escala global está regido por la Luna. La Luna nueva y llena son los puntos altos en la marea regeneradora de vida. Por ello, los cleros de la antigüedad observaron la Luna nueva y llena como momentos de intenso foco mágico. En la actualidad, los lamas del budismo tibetano observan las fructíferas energías de las Luna nueva y llena con días de meditación en silencio. Se dicen oraciones especiales en sinagogas en todo el mundo en los sabbaths anteriores a la Lunas nueva y llena. Miembros del Wicca celebran sus *esbats* en estos mismos tiempos. De hecho, muchas culturas religiosas todavía usan un calendario lunar para calcular sus días de descanso. La pascua florida se calcula en relación con la Luna llena posterior al equinoccio de Primavera.

Las Mareas

La Luna es la reguladora del poder creativo que sostiene y sustenta toda manifestación de vida. La materia física es efímera por los estándares de los planos interiores. Las células del cuerpo humano están en un constante flujo de renovación y decadencia, de nacimiento y muerte. El cuerpo reemplaza una tercera parte de sus células en cada ciclo de 24 horas; Jesús estuvo tendido durante tres días en la tumba antes de levantarse en su cuerpo solar glorificado.

El cuerpo sutil y etéreo es real en cualquier sentido permanente. El cuerpo etéreo toma su energía de las mareas de energía vital que regula la Luna. Esta energía, conocida en oriente como "prana" o "chi", sustenta la vida física. Los ocultistas de occidente llaman a esta energía "etérea"; técnicamente representa la zona interfacial entre el nivel astral inferior y el de física completa. Esta energía causa el movimiento mismo de los átomos. La energía etérea se manifiesta como la vitalidad física y salud de una persona; por eso, el aura etérea (el campo sutil más cercano al cuerpo) se observa para el diagnóstico por parte de curadores y videntes.

Este océano dinámico de fuerza etérea invade y penetra todas las cosas vivientes, animadas o inanimadas. Es la gran red que interconecta toda vida manifiesta, la "vestidura" sin costuras de la naturaleza. El aura del planeta Tierra se extiende mucho más allá de su cinturón atmosférico; alcanza la órbita misma de la Luna. El movimiento de la Luna a través del aura del planeta produce las mareas cambiantes de descenso y fluido. De la misma manera en que un crucero despierta las aguas que atraviesa, el paso de la Luna crea grandes corrientes en el océano etéreo de la vida. Más allá de la órbita de la Luna se encuentra su "lado oscuro", un término técnico del ocultismo para el plano astral.

Alejarse del flujo etéreo de energía es incitar a la enfermedad, romper las corrientes planetarias de energía causa insalubridad. La fuerza de vida etérea fluye sobre todas las cosas en la Tierra, vivimos y nos movemos en ella. Se incrementa por excitación, baile o rituales mágicos; se agota por aislamiento, vampirismo psíquico y enfermedades orgánicas. Los chakras del cuerpo astral-etéreo actúan como centros para la distribución de esta energía y una red de canales (meridianos o "nadis") la transportan por todo el organismo.

El conocimiento y estudio de dichos canales conforma la base de la acupuntura, la cual libera los canales cuando se bloquean o se distorsionan para que la energía dadora de vida circule sin obstáculos. De hecho, en la China clásica, un acupunturista vestía de blanco (un color lunar), usaba agujas de plata (este metal responde a la energía lunar) y sólo prestaba servicio ministerial durante la marea creciente de la Luna.

El planeta Tierra también tiene canales que conducen la energía etérea a lo largo de su cuerpo global. En la antigüedad, en Occidente se les llamaba "los caminos de la Luna" y en Oriente, "los caminos del dragón"; hoy en día, la gente conoce estos canales como "líneas ley". Esta vasta red transporta la energía vital sobre la superficie terrestre. En el punto en que dos caminos de la Luna se encuentran, un espiral de energía se forma por la interconexión de corrientes.

Los cleros de la antigüedad construyeron sus edificios sagrados en dichas espirales, ya fueran dólmenes, círculos de piedra, pirámides o templos. En los momentos de Luna nueva o llena, los cleros de los misterios realizaban sus asombrosos rituales y agregaban su energía a la fuerza lunar, hacían que emitiera su fuerza en la tierra y producían energía renovada, vigor y fertilidad en todo lo que se encontrara en el camino. Desde el ángulo del ojo interior, esta gran red de caminos de la Luna parece una vasta red de plata que palpita con la energía vital que nutre y sostiene al mundo. A partir de este torrente de poder de vida, el ejército de hadas atrae energía para renovar todo lo que está a su cargo. Y por esta razón, los sabios antiguos realizaban sus ceremonias en Luna llena para conseguir ese poder. En realidad es un panorama maravilloso ver la tierra plateada por el resplandor lunar y a los duendes bailando por el camino de la Luna, llenos y exaltados con la vida de su reina.

Enseñanza Lunar

En la vida cíclica de este sistema solar, el Sol es como la manecilla de las horas de un reloj que toma 12 meses para recorrer los 12 signos del zodiaco; mientras la Luna recorre los signos en el ciclo lunar de 28 días, como la manecilla de los minutos del mismo reloj. En el ciclo lunar, la media Luna se relaciona con los equinoccios solares y la Luna llena y oscura, con los solsticios. La Luna viaja tan rápido (la amplitud de su diámetro en un minuto), que visto del espacio profundo, el planeta parece ocultarse en un aura de luz plateada ya que nuestro satélite tiende un velo de protección mientras recorre su órbita alrededor de la Tierra.

El conocimiento de estas fases de la Luna nos permite realizar nuestra magia. Al armonizarnos con las energías que se emiten en las diversas fases, podemos agregar su potencia a la nuestra. En la magia, como en la natación, es más sabio moverse con la marea que ir en contra de ella, a pesar de que todo practicante maduro debe aprender cómo oponerse a las mareas en momentos de necesidad absoluta.

La Luna tiene dos grandes mareas: creciente de Luna nueva a llena y menguante de Luna llena a oscura. Cada una tiene un uso. Además, cada una de estas mareas mellizas tiene su propio punto intermedio, lo que hace a las cuatro fases o cuartos un ciclo lunar completo.

El primer cuarto dura de Luna nueva hasta siete días después; el segundo cuarto, del primero hasta la Luna llena. El tercer cuarto se extiende de la Luna llena hasta siete días después; mientras el cuarto dura desde el tercer cuarto hasta que la Luna parece desvanecerse en la "noche sin Luna". El ciclo lunar completo consiste en 28 días, en los textos antiguos se expresa como "las 28 mansiones de la Luna".

El Poderoso de Dios

El arcángel de la Luna es Gabriel, su nombre significa "Dios es poderoso". Gabriel es el príncipe de la fundación y rector del signo zodiacal Cáncer, el cangrejo. El arcángel Gabriel es el portador de la palabra creativa, dador de la visión, rector del ejército angélico de los querubines y regente del elemento agua.

En el arte sagrado se retrata a Gabriel con un báculo de lirios, una flor sagrada para la Luna. Este báculo es la vara de poder y, como los bastones con flores de Aarón y San José de Aramathea, simboliza que las mareas etéreas son reguladoras de la vida, que el resurgimiento anual de la naturaleza, el milagro de la primavera, tiene origen en estas mareas ocultas. Gabriel, así como Haniel, a veces aparece en forma femenina, lo que indica el aspecto de crianza de los poderes lunares. Cuando aparece en forma masculina indica el aspecto de iniciación de la misma fuerza. Entre los panteones antiguos había dioses y diosas de la Luna.

Gabriel puede visualizarse en el cuarto occidental con ojos verdes como un mar tormentoso y agitado, alas de aura violetas atravesadas con plata y alrededor de él, el sonido de muchas aguas.

Criaturas de la Luna

Los perros son sagrados para la Luna y su arcángel, Gabriel. En la mitología griega, Anubis, el señor del chacal, es el guardián de la madre de la Luna, Isis. Todas las razas y tipos de la familia canina (desde el lobo hasta el pequinés) están bajo esta rectoría y la magia de la Luna puede usarse también para la salud y bienestar de los perros domésticos. Las liebres (no los conejos), los búhos, las arañas grandes y las mariposas nocturnas son mensajeros del arcángel de la Luna.

Todas las formas de moluscos son lunares, una langosta o langostino está en el grupo de la decimoctava carta del Tarot, "La Luna". Las perlas, piedras de luna, madreperlas y el metal plata conducen bien el magnetismo lunar y se usan en la magia lunar. Todas las flores blancas, en especial los lirios, llevan la suerte de la Luna. Para atraer la bendición de la Luna, coloca flores blancas en la ventana (donde la Luna pueda "verlas") cuando haya Luna nueva o llena.

En el reino vegetal, los melones, lichis, peras y el sauce responden al poder lunar. Los colores blanco, plateado y verde pálido están en sintonía con la Luna.

Tu Ángel de la Luna

Toda magia lunar está bajo el poder de Gabriel, pero para practicar este aspecto de la sagrada magia de los ángeles con efectividad, un practicante debe invocar también la ayuda de su ángel lunar personal.

El ángel de la Luna rector es el que tiene rectoría sobre el signo zodiacal en el que estaba la Luna al momento del nacimiento. Un horóscopo es un holograma del universo congelado en el momento en que se respiró por primera vez.

Los ángeles que presiden cada nacimiento se aseguran que el momento esté en coordinación precisa con las necesidades de la identidad superior que dispuso la encarnación. La información sobre la posición de la Luna a través de meses y años se obtiene de una efemérides, puedes comprar una para cada año y no son costosas. Al ver en las tablas encuentras el signo en el que estaba la Luna el día y hora del nacimiento. La Luna tarda entre dos y tres días para recorrer un signo, pero es variable así que debes consultar unas efemérides del año exacto. Ver la tabla 1 para revisar una lista del ángel rector para cada signo del zodiaco.

SIGNO ZODIACAL	ÁNGEL
Aries	Samael
Tauro	Haniel
Géminis	Rafael
Cáncer	Gabriel
Leo	Miguel
Virgo	Rafael
Libra	Haniel
Escorpión	Samael
Sagitario	Sachiel
Capricornio	Cassiel
Acuario	Uriel
Piscis	Sachiel

Tabla 1. Las Rectorías Zodiacales de los Ángeles Maestros

El ángel rector del Sol es el ser angélico que rige el signo zodiacal en el que el Sol estaba en el momento del nacimiento. Si naciste el 16 de marzo de 1954, el Sol estaba en Piscis (Sachiel) y la Luna estaba en Leo (Miguel), así que tu ángel lunar es Miguel y tu ángel solar es Sachiel. Tanto el ángel de la Luna como el del Sol se invocan en diversas partes de la magia sagrada.

Los ángeles maestros trabajan por medio del plano astral, que es también el plano emocional. La invocación es un acto de pensamiento concentrado que toma fuerza de tu cuerpo astral y "enciende" tu aura. Tu intención se amplifica así por tu ángel lunar, se transmite al arcángel Gabriel y se envía al objetivo deseado para convertirse en una realidad física.

Los Talismanes de Poder

La magia de la Luna usa las dos grandes mareas etéreas que rige la Luna: la marea creciente, cuando todas las cosas se incrementan y prosperan; y la marea menguante, cuando desciende y las cosas vuelven a morir. Para que sea efectivo se usan dos talismanes sagrados llamados las Tablas de la Luna. Son la Tabla Invocadora y la Tabla Disipadora, respectivamente, y son sagradas para el arcángel Gabriel.

La Tabla Invocadora

Este talismán de poder se usa durante el primer cuarto, entre más cerca de la Luna nueva, mejor. Su función es producir el incremento de todo lo bueno. Sin embargo, esto no significa que puedas invocar todo en una sola ocasión. Cada petición debe tener una tabla invocadora separada hecha y consagrada para ella sola.

En forma y contorno, la tabla invocadora se parece a las Tablas de la Ley de los 10 Mandamientos (ver la ilustración 1). Esto es porque Moisés recibió la ley que dio inició a la civilización occidental en el día y la hora de la Luna nueva. El Monte Sinaí en sí, donde Moisés recibió las Tablas, se nombró por Sin, el dios caldeo de la Luna. Esta tabla también aparece en *The Greater Key of Solomon,* como "First Pentacle of the Moon", aunque el talismán es muchos siglos más antiguo que este libro.[3]

La tabla invocadora de la Luna se usa para incrementar lo que es deseable en la vida de una persona. Puede usarse para incrementar la salud, los negocios o el dinero ganado; para dar nacimiento a cualquier cosa; para iniciar un nuevo trabajo o cualquier proyecto o empresa. Es bueno para la convalecencia pues produce rejuvenecimiento y es muy potente con asuntos especializados de la salud de la mujer, como problemas menstruales, concepción, parto o menopausia. Esta tabla puede usarse para pedir que se manifieste cualquier asunto que rija el arcángel Gabriel (ver capítulo 4) y para invocar a otros ángeles a través de la influencia de Gabriel.

La tabla invocadora de la Luna se dibuja con tinta de cualquier color sobre papel blanco; puedes usar una variedad de colores y hacer de la tabla un objeto hermoso. Puedes usar tintas del color del ser angelical que rige el asunto que estás pidiendo (ver apéndice II).

---

3. *Clavicula Salomonib, The Key of King Solomon the King,* traducción y edición de S. L. MacGregor-Mathers (York Beach, ME. Samuel Weiser, 1972; Londres: RKP, 1972).

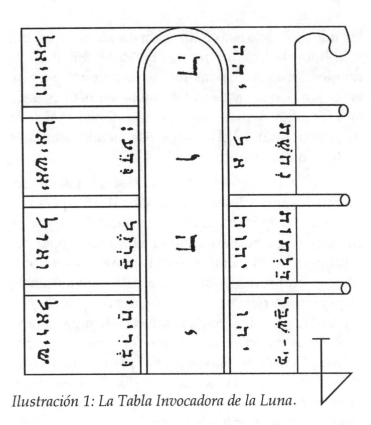

Ilustración 1: La Tabla Invocadora de la Luna.

Primero dibuja el contorno de la tabla, después las letras en la columna del extremo derecho, después la columna interior de la izquierda y luego la columna del extremo izquierdo. Para terminar, dibuja el Tetra-grámaton, las cuatro letras del inefable nombre de Dios en el arco central del diseño. Como estas letras son hebreas es importante que estén escritas de derecha a izquierda. Las palabras hebreas de la tabla son diversos títulos de Dios, los nombres de algunos ángeles de la Luna y el versículo 16 del salmo 107 ("...hizo añicos las puertas de bronce, y rompió cerrojos de duro fierro") que se refiere a superar las limitaciones por la influencia de la tabla.

Entonces escribe tu petición, ya sea debajo del diagrama de la tabla o al reverso. La petición debe escribirse en escritura tebana, se encuentra en el Apéndice I. La escritura tebana es una de las dos escrituras sagradas que se usan en todo el sistema de invocación angelical. Cambia las letras del alfabeto romano de tu petición a los símbolos correspondientes en la tabla de escritura tebana.

Puedes invocar a cualquier ángel con la tabla invocadora de la Luna pero sólo en Luna nueva o en el primer cuarto. El capítulo 4 contiene las rectorías de todos los ángeles maestros. Con esa información sabrás a qué ángel invocar. La naturaleza de tu meta anhelada determinará la naturaleza de tu petición.

Por ejemplo, si necesitas un automóvil, no invoques "dinero para comprar un automóvil" pues pone límites sobre cómo el universo manifestará la meta en tu vida. Debes invocar la meta misma, un automóvil. Sin embargo, si necesitas dinero en sí, entonces invoca "los medios para ganar dinero". De esta manera afirmas que estás preparado para hacer tu parte, para trabajar por el dinero y que estás invocando la ayuda de los ángeles para encontrar una oportunidad a través de la cual puedas ganarlo.

Es una falsedad que el trabajo arduo siempre produce éxito. Cualquier agricultor te diría que puede trabajar muy duro sembrando semillas y cuidando que la cosecha madure a lo largo de las estaciones, para que después una inundación, una sequía o una plaga destruya su trabajo y todo sería en vano. Con la sagrada magia de los ángeles invocas para conseguir, haces tu parte a sabiendas de que los ángeles, si así lo disponen, facilitarán las oportunidades y cuidarán el resultado. Para recibir ayuda en cuestiones financieras invoca al ángel Sachiel de Júpiter.

En asuntos de salud, no se puede invocar sólo "buena salud". Hay que ser específico. Pide por la curación de la enfermedad y sanarás. Una vez que la pides, la curación llega de cualquier fuente: doctores, sanadores o un profundo cambio de actitud. La magia de la Luna sólo puede utilizarse para invocar tu curación o la de tu familia. Otras porciones de la magia sagrada, explicadas en otros puntos, se usan para invocar la curación de otras personas.

En estos asuntos existe la tentación de pensar que uno es un "doctor rápido" y esotérico capaz de abarcar demasiado e invocar la curación de todos los enfermos. Pero las cosas no son tan sencillas y muchos curadores lo han aprendido a un alto precio. Es una enseñanza impopular, pero cierta, que en la etapa actual de evolución, la mayoría aprendemos más a través del sufrimiento que del gozo. En tiempos de felicidad y alegría tendemos a ser complacientes y poco constantes, preocupados sólo porque no se agote la felicidad.

En los momentos oscuros de dolor, ansiedad, pérdida o soledad, por medio de la reflexión y la introspección, la mayoría observa los patrones de vida que ha creado y reconoce las reacciones emocionales negativas y frecuentes que llevan a una espiral descendente.

Por lo tanto, los ocultistas abordan con cautela el tema de la curación. Los "bienhechores" emprenden su travesía con ambos pies, sin el permiso de nadie, con lo que roban las cogniciones propias y el crecimiento subsecuente de las personas que buscan ayudar.

Así que el conflicto interno de quien sufre (que es la raíz real de casi toda enfermedad) tiene que encontrar otra manera de señalizar a la personalidad y exteriorizar otra condición de enfermedad para captar su atención. La vida personal de muchos "bienhechores" es un desastre, una indicación inequívoca de que no están en la lista de amigos de los señores del Karma.

Practicar este sistema no te hará un sanador, esa vocación es muy especializada. Sin embargo, si una persona enferma solicita tu ayuda, puedes pedir a los ángeles de parte de la otra persona pues se toma en cuenta la naturaleza sutil y compleja del destino humano. La siguiente frase es una petición de curación y durante muchos años ha sido la más efectiva:

"Que el padecimiento que (nombre de la persona) tiene que enfrentar tenga un buen motivo o que desaparezca con rapidez". La experiencia muestra que como respuesta a este tipo de petición ocurre pronto una cognición por parte de la persona enferma y el problema físico desaparece.

Al usar los talismanes de la Luna llegas al ángel rector del asunto en cuestión a través de la influencia de Gabriel y tu propio ángel lunar. Si, por ejemplo, tu petición es por la recuperación de los efectos secundarios de una cirugía, el ángel rector que debes invocar es Samael.

La manera de expresar tu petición comenzaría así: "Al ángel Samael de Marte, a través del arcángel Gabriel…" Y podrías colorear la tabla con los colores de Samael, rojo y anaranjado.

Cada solicitud individual debe tener una tabla hecha y consagrada para ello. Después de hacer y consagrar una tabla invocadora, se conserva durante un ciclo lunar completo y se destruye en la siguiente Luna nueva.

Puedes hacer varias al mismo tiempo; sin embargo, hacer magias múltiples es como poner varias ollas en la lumbre al mismo tiempo, divide la concentración, dispersa el poder y los resultados pueden tardar más. Lo mejor es hacer una a la vez. A veces no hay esa opción, en cuyo caso, se debe hacer una tabla invocadora para un solo asunto y usar una de las otras técnicas que el libro describe para las demás.

El Cuadro Disipador

Este talismán de la Luna es mucho más simple en su diseño, pero su apariencia representa falsamente su poder (ver la ilustración 2). Se utiliza para disipar circunstancias que restringen tu realización. Las enfermedades, la pobreza y los problemas que existen en el momento o que amenazan con manifestarse se eliminan con el uso correcto de este talismán.

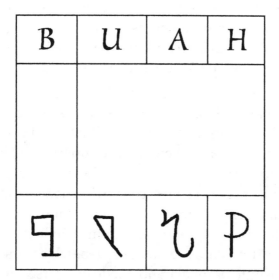

Ilustración 2. El Cuadro Disipador de la Luna.

El cuadro se elabora y se consagra en la primera noche después de la Luna llena, en el tercer cuarto, para que conforme la Luna decrece suceda lo mismo con la adversidad que deseas vencer en tu vida. El cuadro puede liberarte de aquellas condiciones, situaciones o gente que has superado pero que aún obstruyen tu vida como pedazos de madera que impide cualquier progreso para ti o para ellos mismos. El cuadro es similar al concepto nativo norteamericano de una "entrega", por el cual las influencias restrictivas, sean cosas o individuos, se entregan con el corazón abierto al universo, con una bendición para ellos por su viaje. Incluso una enfermedad, que en muchos casos se inflige a uno mismo como resultado de pensamientos y condiciones negativas, puede transformarse y su energía inherente convertirse en un poder positivo para la vida.

El cuadro disipador se dibuja con tinta negra sobre papel blanco. Primero se traza la cuadrícula, después se escribe la palabra "Buah" (que significa desvanecer, apartar) en la parte superior en alfabeto romano, después se escribe abajo la misma palabra en escritura tebana. En el centro del cuadro se escribe, de nuevo en escritura tebana, el nombre de aquello que deseas fuera de tu vida. Como con la tabla invocadora, un cuadro disipador debe elaborarse para cada asunto particular; no puede utilizarse para fines múltiples. El cuadro consagrado se conserva durante un ciclo lunar completo y se quema en la Luna llena posterior. Si el asunto del que deseaste librarte aún persiste (hay cosas más fuertes que otras), haz un nuevo cuadro para continuar el trabajo. Si el asunto ya ha mostrado signos de disminución debes tomarlo como una indicación de que el problema está bajo control y dejarlo a los poderes celestiales. El cuadro disipador es muy potente en el desvanecimiento de enfermedades, pobreza, problemas domésticos y emocionales.

Si la necesidad es muy grande puedes usar ambos talismanes de la Luna en conjunto. En una condición de pobreza, en Luna llena haz un cuadro para disipar la pobreza y en la siguiente Luna nueva elabora una tabla invocadora para pedir la oportunidad de ganar dinero.[4]

La Consagración

Es el ritual usado para consagrar los talismanes de la Luna. Si nunca has realizado una ceremonia sagrada sugiero que hagas la meditación visual "Círculo de la Luna" antes de realizar la consagración (ver el ejercicio 2). Dará a tu mente subconsciente formas para revestir los poderes lunares.

Asegúrate de que no serás molestado, es importante arreglar las cosas para que trabajes sin interrupción. Pon un altar: cualquier mesa cubierta con una tela blanca o verde pálido, orientada hacia el oeste, con dos velas blancas sobre candeleros (blancos,

---

4. Una tradición oculta es que estos misterios del arcángel Gabriel se usen para invocar a los ángeles cuyos misterios y ritos son desconocidos o dudosos; por ejemplo, el arcángel Asariel de Neptuno.

de plata o de vidrio es lo mejor), una luz central para representar al Creador Divino y un incienso de buena cualidad (incienso de iglesia o un incienso de Luna preparado especialmente). Puedes colocar dos cartas del tarot en el altar si lo deseas ("la sacerdotisa", para la Luna y "el carro", para el signo zodiacal Cáncer) junto con el papel, tijeras, regla y lápices de colores. Unas flores blancas en un florero adecuado son un buen centro de mesa. Es recomendable trazar ligeramente el talismán con lápiz antes de la consagración pues así es más fácil poner la tinta durante la ceremonia.

Toma un baño purificador, con la intención de la purificación en mente; estás por emprender un trabajo sagrado en presencia de poderes angélicos y por ello debes purificarte. Usa ropa limpia o, si lo deseas, una túnica de color, sin embargo, con la sagrada magia de los ángeles nunca se usa el negro.

Entra a tu espacio sagrado y enciende la lámpara del altar, de su flama enciende las dos velas y el quemador de incienso. Siéntate y medita por un momento, permite que todos los pensamientos se aparten de tu mente a excepción de la intención del ritual.

Si hay una preocupación persistente (puede relacionarse con el asunto en que estás trabajando), en vez de tratar de suprimirla, considérala y mentalmente haz un arreglo para atenderla más tarde como es debido; entonces se calmará y te dejará libre para seguir. Cuando estés listo, pon un poco de incienso en el quemador encendido, ve al altar y reza:

> *Oh, Todopoderoso, purifica y resguarda este espacio que ocupo. Si es tu voluntad, envía a tus santos ángeles de la luz para auxiliarme en este asunto que llevo en el corazón y que levanto a ti. Selah.*

Toma la lámpara encendida del altar y, mientras la sostienes ante ti, camina en el sentido de las manecillas del reloj alrededor del cuarto, visualizando un círculo de luz blanca formado por la lámpara. Cuando el círculo esté completo, regresa la lámpara al altar. Ahora pasa las manos, el papel y los instrumentos a través del humo del incienso para purificarlos. Procede a elaborar la tabla invocadora o el cuadro disipador de la Luna. Cuando termines el talismán, tómalo con las dos manos y colócate ante el altar de nuevo.

Con tus propios pensamientos y palabras llama al arcángel Gabriel. Él tomará forma detrás del altar, cara a cara contigo y la luz sagrada en el medio. Ahora invoca a tu propio ángel lunar, sabrás cuando este ser angélico conteste a tu llamado por una presencia justo detrás de tu hombro izquierdo. Concentrado en el ángel rector del asunto que estás pidiendo, llámalo y verás que tu ángel lunar te ayudará a hacerlo. Cuando este ángel responda, tu psique percibirá que da vueltas sobre el altar, por encima de la lámpara.

En la presencia de estos seres brillantes, lee tu petición en voz alta concentrado en la intención, después pon el talismán en el altar. Sentirás que el poder entra en la tabla o cuadro, tomará "vida" en una forma curiosa. Entonces el ángel rector del asunto se alejará y llevará consigo la esencia de tu petición.

Agradece con cortesía a tu ángel lunar y al arcángel Gabriel, quienes también partirán. Ahora toma la lámpara una vez más y camina en círculos, pero ahora en sentido contrario a las manecillas del reloj y el fulgor del círculo volverá, vía la lámpara, al corazón de todo lo brillante. Para terminar, vuelve a colocarte al altar:

Oh, Todopoderoso, agradezco tu gracia.
Que todos los poderes convocados regresen
a sus propios reinos, con tu bendición. Selah.

Apaga las velas y desmantela el altar si lo necesitas. Deja la lámpara encendida y las flores blancas en la ventana como una ofrenda a los poderes de la Luna. Conserva el talismán consagrado en un lugar seguro.

Cuando llegue el momento de destruir el talismán, lo único que debes hacer es poner un pequeño altar con la tela, la lámpara y un receptáculo para la ceniza. Invoca al Todopoderoso como antes, establece el círculo de luz con la lámpara; luego, con tus propias palabras y con amor agradece los poderes angélicos que intervinieron. Enciende la orilla de la tabla o cuadro con la lámpara del altar, colócalo en el receptáculo para que se queme por completo. Repite la "Licencia para Partir" (las últimas palabras de la ceremonia) y pon las cenizas del talismán sobre la buena tierra.

Círculo de la Luna

Siéntate tranquilo y relajado. Respira en forma profunda y equilibrada, sin tensión. Vuélvete hacia tu interior al centro de tu ser, el tú eterno.

Alrededor de ti existe una bruma verde pálido emitida con motas de luz plateada. La bruma te envuelve con lentitud, te estremeces un poco al contacto del frío astral, pero pronto te adaptas. Te das cuenta que te elevas y flotas como una pluma sobre la brisa de la tarde.

Cuando la bruma se desvanece, te encuentras de pie en la cumbre de una colina, al atardecer. El Sol se ha hundido en el occidente y las primeras estrellas brillan en el cielo, como diamantes sobre terciopelo índigo. A pesar de que está muy oscuro para ver el valle cuesta abajo, ves el listón plateado del arroyo que lo atraviesa y la corteza blanca de la arboleda de sauces que crece en su ribera.

Un frío hocico toca tu muñeca. Sobresaltado, volteas y encuentras sentado detrás de ti a un gran perro. Su pelo luce suave y blanco a luz de las estrellas, en el cuello tiene un collar de piedras de luna enlazado con plata. El perro te mira fijamente con ojos índigo y con una inteligencia que no se ajusta con su forma animal. Ahora que la sorpresa de su llegada ha pasado, sonríes y estiras una mano para que la huela, después lo acaricias detrás de la oreja y sonríes por el sonido que hace su cola al agitarse y pegar con el suelo.

Ya que se han presentado, el perro se levanta y comienza a bajar la colina. Tú lo alcanzas y acompañas a tu nuevo compañero con una mano sobre su lomo. Más cerca del valle escuchas las aguas del arroyo en su viaje a algún gran río. El tiple agudo de un ruiseñor suena en los árboles que tienes adelante, al tiempo que entras en el valle. Como si fuera una señal, la Luna llena se levanta sobre las puntas de los árboles y cubre todo el valle con su luz. Cada trozo de pasto y cada hoja se ven cubiertos de un tejido plateado. El aire parece tener un fulgor violeta intenso. Incluso el búho que vuela sobre ti se ve lleno de la esencia de la Luna.

Por un rato caminan por el arroyo, beben en la belleza de la escena, hacen pausas de vez en cuando para acariciar los troncos de los sauces llorones. Después te pones a jugar a las escondidas con tu guía canina entre las cortinas de las ramas de los árboles.

Te sientes en completa paz y alegre en este valle, como si lo conocieras de siempre.

Al perseguir al perro encuentras por accidente un claro entre los árboles. En el centro está un círculo formado de nueve dólmenes verticales, cada roca es del doble de tu tamaño. En el centro de este círculo hay una fuente de piedra. El agua que la llena al tope brilla con la luz de la Luna y alrededor de la fuente crece artemesia verde pálido.

Una atmósfera de poder y asombro permea el lugar, parece emanar de la fuente y de las altas piedras centinelas que la rodean. Te preguntas si debes volver e irte del lugar pero el perro te ve y con lentitud agita su cola, como para hacerte saber que todo está bien.

Haces a un lado tus dudas, sigues a tu guía que empieza a trotar alrededor del círculo de piedra. Tras olvidar tu desconfianza, tomas el espíritu de juego y tratas de alcanzar la cola del gran perro mientras la Luna sube y sube en la bóveda celeste.

De manera abrupta, el perro se detiene en un lugar. Tienes que desviarte para evitar chocar con él. El perro se sienta y mira al cielo. Sigues su mirada y ves que el disco completo de la Luna está casi directamente sobre ustedes. Con la cabeza hacia atrás, el perro emite un aullido que llena el valle y hace eco en las colinas cercanas. Después, todo está en silencio, incluso el ruidoso arroyo parece reprimido y lejano. El perro se levanta y comienza a trotar, entra y sale de las nueve piedras. Te ve sobre su hombro como si dijera: "Sígueme". Y lo haces.

Humano y can, representantes de dos reinos de la creación, se entrelazan con los miembros de un tercero, el reino mineral. Se convierte en un baile. El cuarzo contenido en las piedras centellea a la luz de Luna mientras tu ligero andar te lleva a ellos y a su cercanía. Perdiste la cuenta de las vueltas que has dado bailando en la luz plateada de este lugar encantado. El perro se vuelve hacia adentro, después (ambos se colocan hacia el centro del círculo) se detiene a poca distancia de la fuente. De nuevo, el perro emite su aullido doloroso mientras la Luna pasa por arriba. Un rayo de Luna (una "flecha de Diana") baja para iluminar el círculo y se refleja en las aguas de la fuente una imagen perfecta de la Luna.

El haz de luz de Luna aumenta de brillo hasta que se convierte en un pilar de fuego plateado y azul que une a la Luna real con su imagen en el espejo acuoso. La columna de fuego lunar vibra y gira, incrementa su fuerza y tamaño. La fuente se enciende por la flama lunar y su apariencia toma el ligero lustre de la perla.

Ahora, lleno por completo, el fuego lunar se derrama sobre el borde de la fuente, llega al suelo y sale de la orilla del círculo. Conforme el fuego frío y plateado pasa por tus piernas, una sensación de poder helado sube por tu columna y se centra en tu frente. La sensación afecta tu visión, un remolino colores morado, índigo, plateado, magenta fuerte y violeta cubren tu vista.

Al ajustarte a un nivel más alto de percepción ves la escena con visión espiritual. Cada uno de los dólmenes del círculo es ahora un gran cristal que recibe y reparte el poder de la Luna y vibra y canta mientras resuena. Cada uno está ligado a sus piedras hermanas, cada tono diferente formando un arpegio de sonido. Ahora sabes por qué los antiguos denominaban a los círculos "coros". ¡Y entre cada monolito de cristal está un ángel! Nueve miembros del ejército de los querubines forman un círculo con los cristales al transmutar y aumentar su energía.

Los querubines llevan las formas de humanos hermosos más allá de la distinción de género aunque con equilibrio de los aspectos nobles de ambos. Sus ojos rasgados y grandes perforan el cosmos y todos los niveles de ser son perceptibles a ellos. Son fuertes más allá de la imaginación de los mortales. Su presencia es de irresistible poder y un inmenso amor da alma a ese poder. Sus alas de aura son glorias vivientes que los velan y enmarcan. Cada ángel tiene una corona de fuego de blanco fulgor.

Por tercera y última vez, el perro aúlla y mientras se desvanece el sonido escuchas el canto del círculo de poder con más claridad que antes. Los enormes cristales producen notas graves como un poderoso órgano. En respuesta, las auras de los querubines crecen en intensidad y despiden notas musicales en contrapunto con las de los cristales, notas altas y dulces de pureza inimaginable.

Frente a ti, del otro lado de la fuente empieza a formarse un patrón de energía. De color plateado y violeta toma tamaño y sustancia, se abre para revelar al arcángel Gabriel, alto servidor del Santísimo. La presencia de pensamiento que el arcángel Gabriel lleva de la Luna mide tres metros de altura y sus alas violeta y plateado tocan el perímetro del círculo. Viste de los azules del cielo y del océano.

En la frente tiene una diadema plateada en la que con letras de fuego brilla el nombre de Dios. En una mano, Gabriel porta un báculo de poder con lirios blancos y en la otra, lleva el cáliz de la Luna. Los ojos del arcángel son verdes como un mar tormentoso y todo lo que le rodea es el sonido de poderosas aguas.

Aquí, ante ti, está el "Poderoso de Dios", el anunciador de Cristo. Llevas el asombro en la garganta, mientras los verdes ojos rasgados de este ser celestial (que existía antes del nacimiento de las galaxias) se fijan en ti. Pero a pesar del trascendente poder del arcángel estás consciente que encubre su potencia, la disminuye para que la presencies y la comunión sea posible.

Hay una picazón en tu mente y se da un ajuste, como al sintonizar un radio. Entonces, con su toque mental, la voz del arcángel suena en tu mente como una campana.

Hola, hijo de la Tierra, fruto del Señor. Gran gozo sentimos que busques tu herencia y nos llames a mí a mis hermanos para ayudarte en el gran viaje a la divinidad. Para que seamos fruto de un solo origen tú y yo. Usa el conocimiento sagrado que se te impartió y no lo profanes para que las flores adornen tu camino. Llámanos cuando los ciclos sean propicios (como lo sabe el instruido) por el brillo y la luz del satélite que es la Luna de tu planeta. Ahora, si lo dispones mira la fuente de visión.

Miras las aguas de la fuente y se forma una imagen de una extraña corona. Tiene dos astas y entre ellas descansa una Luna creciente y una sola estrella. Con curiosidad miras de nuevo a Gabriel. Él dice:

Con esta palabra puedes llamarme a la distancia. Deja que tu mente la cree en fuego plateado y estaré contigo. Úsala con sabiduría, ya que en los días de Enoch, ahora Príncipe de la Serenidad, he sido llamado a responder las oraciones de la humanidad. Regresa a este círculo de poder cuando lo necesites. El guía te traerá, pero debes saber que él no es una criatura terrestre real, sino un espíritu de la Luna. Con práctica hablarás con él. Ahora, si lo deseas, recibe por mi conducto la bendición del Señor.

La cara del arcángel se torna más y más brillante hasta que su fulgor te hace bajar la cabeza. Los ojos del arcángel permanecen en tu mente, ojos que han mirado la cara divina de frente.

Cuando levantas la vista, Gabriel y su comitiva de querubines se han ido. Estás en un círculo de nueve piedras grises, junto a una fuente de piedra llena por agua de lluvia.

En la base de la fuente yace un perro grande con un collar de piedras de luna. La Luna ahora se pierde de vista detrás de las colinas que rodean este valle sagrado.

Con el guía, dejas el Círculo de la Luna y vuelves por los sauces a lo largo de la ribera del arroyo, hacia la colina de la que viniste. Mientras subes la ladera inclinada, escuchas el sonido de un búho y te preguntas si será el mismo que viste volar… ¿hace cuánto tiempo?

En la cima de la colina volteas a ver el valle, ahora oculto en sombras de nuevo. Una bruma verde pálido que centellea motas plateadas empieza a subir, es hora de dar gracias a tu guía. El perro se levanta y pone sus patas delanteras en tus hombros. Lame tu mejilla con su cálida lengua y escuchas su voz en tu mente: "Mi nombre es Atliel. Regresa un día a jugar". La bruma te cubre y experimentas la misma sensación de que flotas como antes hasta que te das cuenta que estás en tu cuerpo.

Asegúrate de estar completamente consciente del nivel físico. Estírate y toma algo caliente. Después registra tu viaje interior antes de que los detalles y las reacciones emocionales se desvanezcan de la memoria.

Capítulo 3

La Sanación en sus Alas

Se levantará el Sol de justicia que en
sus alas traerá la salvación...[1]

Los ángeles son ministros del altar de la vida. Su vigilancia de la vida encarnada (con todas sus funciones e interrelaciones complejas) hace que tengan habilidades curativas estupendas dentro de sus campos designados. Sin embargo, no entienden la imagen completa cuando se trata de la humanidad ya que los ángeles nunca han tenido cuerpos o estado bajo las leyes que gobiernan a éstos. Los humanos, como ya hemos dicho, son una compleja mezcla de espíritu, psique y físico. Por ejemplo, aunque un ángel se especialice en trastornos del sistema nervioso está limitado a esa área y sería inútil si se le invocara para curar un hueso dañado. Los ángeles

---

1. Malaquías 4:2.

tampoco entienden los estados emocionales que a veces surgen de la salud mermada. Por lo tanto, una persona que invoca a los ángeles para propósitos de curación necesita saber con precisión a qué ángel invocar para el tratamiento de un trastorno específico.

El aspecto curativo de la magia sagrada de los ángeles no tiene valor de diagnóstico, ni convierte a nadie en sanador aunque éstos pueden usarla para aumentar su efectividad. La magia sagrada de los ángeles, sin embargo, habilita a un practicante a invocar con éxito la curación de males específicos.

La curación que producen los ángeles suele ocurrir por canales naturales. Los ángeles usan a las personas como agentes; se puede inspirar a una persona a ir con un doctor diferente; un conocido puede hablar de un sanador de quien el enfermo no había oído; un artículo de revista o un programa de televisión puede proporcionar información que lleve a una comprensión de la enfermedad y su curación subsecuente. Todos los profesionales de la curación (enfermeras, cirujanos, veterinarios, doctores, dentistas, etcétera) están vinculados al ministerio curativo de los ángeles. A veces la curación que viene con la instrumentalidad de los ángeles es de magnitud milagrosa. Estas manifestaciones milagrosas de curación ocurren sólo cuando no hay otra manera de producir los resultados. He sabido de cientos de casos donde la curación se dio después de que se invocó a los ángeles. Las únicas ocasiones en las que he visto curaciones milagrosas (o curaciones que también se denominan "milagros" pero que bien pueden obedecer a leyes que ignoramos en este momento) han sido en casos donde la profesión médica ha agotado sus recursos o ha dicho que no hay esperanza.

Algo que he aprendido en años de practicar la magia angélica es que el Cielo no es sordo (nosotros generalmente sí) y que la "esperanza" es un impulso que surge del conocimiento innato del espíritu humano sobre su propia naturaleza eterna. Cuando la curación proviene de una disposición superior, los órganos se regeneran, las enfermedades hereditarias o terminales se curan y los muertos se levantan.

Enfermedad

Para entender la curación, primero debemos examinar por qué se presentan la enfermedad, los trastornos o los malestares. El tema es complejo y vasto. El siguiente paso sólo puede ser una generalización de los principios involucrados y no debe considerarse dogmático ni exhaustivo.

Llegamos a la primera encarnación como seres sensibles y sin malicia, poseedores de libre albedrío y dotados con un potencial como el de Dios. A decir verdad, el propósito de la humanidad es expresar lo divino en una forma única en este planeta y, en el futuro, quizá en otros también. Crecemos aprendiendo cómo expresar la naturaleza potencial similar a la de Dios.

Como seres inexpertos e ingenuos, al principio somos torpes y descuidados. Los pensamientos, palabras y acciones tienden a ser inexactos. De hecho, la definición etimológica de la palabra "transgresión" (de la que proviene el concepto de pecado) es "errar el tiro" o estar "lejos del objetivo". La transgresión causa desequilibrio y desalineación dentro de la red general de energía. La energía que generan estas expresiones de inexperiencia eleva el karma adverso. El karma no es la enseñanza oriental fatalista que muchos sostienen. Todas las tradiciones de misterio (orientales y occidentales) consideran al karma como un fenómeno observable. El karma adverso es tan sólo el correctivo para la energía mal aplicada y desequilibrada. No es un castigo por un mal comportamiento. Más bien, el karma es educativo. Las áreas de la vida donde se observa el karma adverso nos muestran los lugares exactos donde necesitamos concentrarnos. La enfermedad, por ejemplo, es en la mayoría de los casos resultado del karma. Pero la naturaleza propia de la enfermedad —sus síntomas, el área afectada del cuerpo o de la mente, las restricciones que provoca— es un indicador de lo que debe hacerse para corregir el desequilibrio y restablecer la salud.

Por ejemplo, muchos males cardiacos son producto de la negación constante a expresar las emociones, es una reacción habitual tras suprimir el flujo de impulsos eventuales de energía emocional en el órgano físico mismo y el corazón empieza a impedir el flujo de sangre por el cuerpo.

Las tensiones dentro de una persona también provocan la enfermedad. Tener un trabajo seguro y tranquilo es "sentido común", pero una persona puede tener fuerzas poderosas y creativas que corren por el tejido de su psique. Esas fuerzas necesitan expresarse. Pero el individuo, quizá por medio de la programación de sus padres o la "educación", tiene mucho miedo a vivir el momento. Una falta de conocimiento acerca del universo que produce una profunda desconfianza en la vida hace que la persona se encadene a una forma de vida que odia. Por ende, el odio, impulsado por la frustración, crece con el paso de los años, daña la relación con la vida y la capacidad de gozo. Al final, el odio termina con el individuo, quien literalmente aunque de manera inconsciente, se aparta de la vida física. El único correctivo para tal situación es tomar el consejo de Joseph Campbell y "buscar la felicidad".

Muchas de las grandes conversiones, descubrimientos y transformaciones de vida han ocurrido en la enfermedad. Cuando una enfermedad se manifiesta, pregunta por qué ha sucedido, cuáles son las lecciones que debes aprender. Trata de evitar la reacción emocional de "¿Por qué yo?" y sigue adelante con entusiasmo para buscar la comprensión que el universo trata de darte. Ve a tu interior, pregunta a tu cuerpo (que tiene una inteligencia animal propia) dónde quiere que te concentres. Haz un viaje imaginario, observa y registra las situaciones en las que te encuentras y los caracteres que encuentras. Estas observaciones te darán indicadores de qué está sucediendo en el interior. Muchas personas se enferman a menudo, pero no de gravedad, porque es el único momento en que reflexionan sobre la historia o dirección de su vida.

Entonces, cuando hayas hecho todo lo posible invoca al ángel adecuado con las siguientes palabras:

"Ángel, que el padecimiento que enfrento tenga un buen motivo o que desaparezca con rapidez".

Los Ángeles Maestros como Sanadores

Cada ángel maestro, que también es un ángel planetario, puede ser invocado para ayudar en la curación de diversos males. Cuando sepas qué ángel es rector puedes invocarlo con una carta de petición (Ver la Tabla 2). Los presagios que suceden después de tu petición son signos de consentimiento. Cuando tengas que lidiar con una enfermedad sin saber a qué ángel recurrir invoca al arcángel Rafael y pide que lleve la petición al ángel que tiene rectoría.

ÁNGEL	SÍNTOMA
Miguel	Cualquier enfermedad del corazón o la espina dorsal, incluye la espalda y sus músculos.
Gabriel	Salud de la mujer (enfermedades de los senos, todo lo relativo al parto, incluida la recuperación de sus efectos). Todos los malestares estomacales, tumores pequeños, esterilidad, edema (para ambos sexos).
Samael	Todas las heridas, salpullido, infecciones, cualquier mal que cause erupción, migraña. Samael es el patrono de la cirugía.
Rafael	El ángel de la curación, está relacionado con la salud general y todo malestar de pulmón y pecho. Es benevolente con la salud de los niños, las aves y los animales pequeños.
Sachiel	Problemas de mala circulación sanguínea como venas varicosas o hemorroides y la salud de tobillos y pies.
Haniel	No tiene rectoría en las artes curativas.
Cassiel	Reumatismo, artritis, todo mal causado por condiciones de frío o humedad; trabaja bien con enfermedades de la vejez, produce alivio duradero si no es que la curación total. Cassiel es muy lento, así que si hay urgencia debe ser invocado a través del arcángel Rafael.
Uriel	Todos los problemas del sistema nervioso.
Asariel	Demencia, obsesión y delirio; problemas producidos por la pasividad de la psique.

Tabla 2. Las Rectorías de los Ángeles en la Curación

Como el ángel sanador principal y como rector de la comunicación, Rafael llevará tu petición con sus alas y una oración.

Cirugía

Antes de someterte a una cirugía, siempre invoca al ángel Samael de Marte. No sólo guía las manos del cirujano durante la operación sino que después estimula las facultades de recuperación del cuerpo. La anestesia general es agotadora para el cuerpo. De hecho, se pierde mucha energía etérea en la inconciencia, los sueños muy vívidos que acompañan a la anestesia indican qué tanto se alejó la psique del nivel físico.

Un amigo mío en Suecia, es cirujano y sanador (también es un sacerdote cristiano y masón), realizó experimentos muy interesantes posteriores a la operación. De manera discreta cargó a algunos de sus pacientes de energía curativa al revisarlos, mientras que con otros dejó que la curación siguiera el curso habitual. Supervisó todos los casos de acuerdo a la disciplina científica. En todos descubrió que los pacientes que recibieron energía curativa se recuperaron más rápido y con menos molestias.

Hospitales

Todo hospital está bajo el control de un ángel de curación mayor y muchos otros seres del reino angélico sirven en los hospitales también. Se puede encontrar ángeles de Marte (Samael) supervisando las cirugías y revitalizando cuerpos dañados, ángeles de la Luna (Gabriel) ayudando a nuevas almas a cobrar vida física a través del portal del nacimiento (las puertas de Marfil)[2], ángeles de curación especializándose en diversas enfermedades y los ángeles pastores misericordiosos, los ángeles de Saturno (Cassiel), que toman con suavidad a las almas de los cuerpos desgastados y las llevan a la Luz.

Las capillas de hospital tienen una atmósfera profunda, como si la experiencia del sufrimiento alejara las preocupaciones menores y evocara una relación más directa con la vida y con la fuente de toda vida. Es raro encontrar oraciones superficiales en las capillas de hospital. La mayor parte del trabajo de curación hecho por los ángeles ocurre por la noche, cuando los cuerpos astrales de los pacientes dejan el ámbito físico para reabastecerse en su propio nivel. La ausencia de la conciencia de la persona enferma permite que la energía curativa dirigida por los ángeles fluya con libertad. El ajetreo y alboroto de la sala de un hospital ocupado termina por la noche, excepto las emergencias. Las enfermeras pasan la noche en vela cuidando a los enfermos hasta el amanecer y los ángeles de la misericordia llegan hasta las camas de sufrimiento y aflicción para brindar su socorro invisible. Algunos ángeles trabajan directo en

2. Una referencia al anillo pélvico.

los cuerpos físicos y concentran su radiante luz en ellos; otros llevan a las almas durmientes a diversos centros de curación del plano interior, como las aguas en quietud.

Si vas a visitar a una persona enferma al hospital, primero ve a la capilla. En silencio, céntrate. Pide una bendición divina para el trabajo del ángel que atiende el hospital, después invoca a los ángeles de la curación y pídeles ayuda para la persona enferma. Puedes usar la siguiente invocación:

Creador divino, fuente eterna de vida, envía a tus ángeles de la curación, al ejército de Rafael, a traer salud y paz a (nombre de la persona enferma). Deja que cada músculo, cada nervio, cada célula, cada átomo sea envuelto en la luz de tu amor. Que el cuerpo, la mente y el alma de (nombre) se colme de tu gracia transformadora. Que la flor del corazón de (nombre) se abra al poder de tus rayos. Amén.

Ángeles de la curación, seres dorados del Sol, traigan salud y curación a (nombre), Selah.

Después de invocar a los ángeles de la curación, ve a visitar a la persona. Trata de tocarla, toma sus manos el tiempo que estés con ella. Los ángeles pueden usarte como canal para la curación.[3]

Siempre que pases por un hospital recuerda dirigir una bendición para su ángel. No tiene que ser una invocación hablada, basta con un solo pensamiento sencillo (rápido como una flecha). No tenemos una concepción real de la ayuda tan grande que es para estos ángeles de misericordia tener a seres físicos que reconozcan y bendigan su silenciosa labor.

Nacimiento

Todo nacimiento, sea de un humano o de un animal, recibe la atención de los ángeles. El acto de dar a la luz es una importante experiencia iniciadora para una hembra de cualquier especie. En los humanos, la madre ofrece su vida para que la puerta del nacimiento se abra. El alma por encarnar también es muy vulnerable en ese momento. El libro *The Jewish Prayer Book* contiene una oración para aquellas almas que han "estado cerca de la Tierra y se han pasado de largo".[4]

Un amigo mío, ahora está con los ángeles, me dijo que un domingo por la mañana mientras caminaba por el norte de Londres, su atención interior fue

---

3. Esta invocación puede usarse ante cualquier lecho de enfermo.

4. Ver *The Authorized Prayer Book of the United Hebrew Congregations of the British Commonwealth of Nations* (Londres, 1962).

atraída hacia un callejón cercano. Siguiendo su intuición, entró al callejón y percibió con su visión espiritual la presencia de Nuestra Señora, la santa Madre María, atendida por seres angélicos. La visión fue gloriosa, asombrosa y tierna más allá de las palabras. Cuando mi amigo se recuperó y pudo acercarse, se dio cuenta que el foco de atención en el plano físico de esta reunión interior era un gato recostado en la basura del callejón, dando a luz a sus gatitos.

Los ángeles presentes en los nacimientos son principalmente los del coro de querubines, entre cuyos papeles está la supervisión de la casa del tesoro de las almas. A veces en un nacimiento se manifiesta la presencia de María, Isis o Kan-Yin. Estos majestuosos y tiernos arquetipos son formas del amor maternal del Señor y vienen a bendecir el "primer aliento". Una luz nocturna discreta, encendida con la intención de dar la bienvenida a los querubines a un nacimiento, es de sumo valor.

Phoebe Payne, una vidente de gran credibilidad, narró sus observaciones de un nacimiento en un hospital particular en la década de los 20 desde el punto de vista interior.

...era un área de luz tenue, suave y esplendorosa, parecía creada por los ángeles que atendían el nacimiento del bebé. Dentro de este espacio, el colorido brillante de los ángeles fulgía y brillaba en tonos alternativos, lo que creaba un efecto exquisito de la mezcla de color y sonido que en ocasiones formaban patrones rítmicos, a veces en nubes oleantes de colores gloriosos.

En la medida de lo que puede decirse, los ángeles hablaban y trabajaban en términos de conciencia más que a través de cualquier medio concreto de expresión. Se desarrollaba una ceremonia en la que los ángeles atendían a través del doctor, el ego encarnado (persona), y los ángeles principales eran los celebrantes en jefe. Promulgaban un ritual definido, simple y al mismo tiempo de gran misticismo, que después del nacimiento culminaba en poner al recién nacido a cargo de otro ángel...

El ángel que presidía toda la ceremonia era un ángel de maravillosa dignidad y poder, con una autoridad sacerdotal que se sentía vinculada con el corazón más profundo de la Madre del Mundo. A través de esta radiante figura se vertió un fluido de compasión y comprensión hacia la madre, al mismo tiempo confiriendo una bendición a su sublime función femenina y uniendo los aspectos más altos de su conciencia con un sentido de la presencia de la Gran Madre... De una manera muy mística, el ángel era el representante directo de Nuestra Señora que obsequiaba su influencia al grado en que pudiera recibirlo el alma de la madre.

Parecía ser el tabernáculo en el que la celebración de un misterio tenía lugar, como un vínculo con los reinos espirituales superiores a los que los egos de los presentes pudieran contactar...

El ángel mismo era un ser glorioso, de dos y medio o tres metros de altura, con un cuerpo como de oro fundido que brillaba a través de cortinas de un azul celeste deslumbrante... Sus ojos eran insondables pozos de luz violeta intenso. Sobre su pecho yacía una estrella centelleante de luz blanca que permaneció radiante durante toda la ceremonia... En el momento en que el niño respiró por primera vez, estos rayos blancos (de la "estrella") se dispararon en largos haces y por un segundo madre e hijo se abrazaron.[5]

Además de los ángeles, otros seres atienden un nacimiento. Los amigos del plano interior del alma por encarnar están presentes. Es igual que cuando acompañamos a amigos al aeropuerto, al puerto o a la estación cuando emprenden un largo viaje. En el antiguo Egipto, los sacerdotes videntes, los sacerdotes del Ma'at, veían los nacimientos reales para cerciorarse de la calidad del alma que llegaba al observar a quienes acompañaban al recién nacido.

---

5. De correspondencia privada.

De hecho, desde la perspectiva angélica, los procesos de nacimiento que ellos facilitan son la imagen de espejo de otro suceso que también atienden los ángeles —la muerte.

Transición

Los griegos de la antigüedad retrataban a su dios de la muerte, Tanatos, como un joven hermoso, de cabello negro y con alas. En la cultura occidental, la mayoría de los nacimientos se percibe como un suceso "feliz". La mayoría de las muertes se percibe como un suceso "triste". Por fortuna, los tanatólogos como Elisabeth Kübler-Ross y Stephen Levine están trabajando para transformar la visión cultural de la muerte y para capacitar a otros a ayudar al moribundo a prepararse de manera holística para su primer paso en el camino a la luz.

Elisabeth Kübler-Ross habló de su experiencia al ayudar a niños moribundos y de su conciencia en tales casos de la presencia de la Santa Madre María y el perfume de rosas, haciendo realidad la oración del Ave María: "Santa María, Madre de Dios, permanece con nosotros ahora y en la hora de nuestra muerte". De igual manera, "Madre" es el nombre de Dios en los labios y en los corazones de todos los niños. Los hospicios son gobernados por un ángel pastor superior y son una gran bendición para los moribundos.

En realidad, el útero y la tumba representan dos aspectos de un flujo continuo. Las percepciones de ese flujo son sólo una cuestión de a dónde nos dirigimos. De hecho, en el conocimiento antiguo, la "Puerta del Cuerno" tiene un letrero en su umbral, en un lado dice "entrada" y en el otro dice "salida". Lo demás es cuestión de perspectiva.

Idealmente, en la muerte física, el alma preparada se aleja con calma del vehículo físico, el cordón de plata que conecta los cuerpos físico y etéreo se rompe (como el cordón umbilical en el nacimiento) y el alma se libera en el nivel astral. El alma sin cuerpo se traslada al nivel espiritual, donde la encarnación como un todo es determinada por la identidad superior. Lo que es benéfico se destila y lo absorbe el espíritu; lo que no, se desecha.

Después del juicio personal, el alma pasa a un estado purgatorio para resolver cualquier mancha ya que pocos salen inmaculados. Después de la purificación, el alma pasa a uno de los "paraísos" y se reencuentra con antiguos amigos antes de que se le llame para regresar. En otros casos, donde el mal ha sido la pieza fundamental de la vida física, el alma pasa a uno de los infiernos hasta que se expía por completo. Nuestros sueños y pesadillas son las fronteras del paraíso y del infierno.

A diferencia del nacimiento, donde el alma que encarna tiene poco libre albedrío efectivo, la transición de la muerte está llena de patologías. Otros han escrito sobre el tema en forma extensiva,[6] así que me limitaré a hablar de cómo la muerte se relaciona con los ángeles.

Una de las patologías más comunes de la experiencia posterior a la muerte es el apuro de los que están "aferrados a la Tierra". Son almas que no creen que están muertas (situación muy común durante cortos periodos, como un shock) o almas que se niegan en forma deliberada a dejar el plano terrestre. Jesús lo ejemplificó muy bien cuando dijo: "Pues donde están tus riquezas, ahí también estará tu corazón" (Mateo 6:21). Si el enfoque principal de una persona en la vida (la exclusión virtual de todo lo demás) ha sido el reino material es natural que orienten sus pasos a ese reino y no deseen pasar a ningún otro. La película *Blithe Spirit* y, la más reciente, *Ghost* tratan ejemplos de una condición de aferramiento a la Tierra.

Ninguna persona debe morir sola, como la madre Teresa de Calcuta nos enseñó con el ejemplo de su trabajo. En el lado oculto de la vida es una realidad que ninguna persona deja el cuerpo sin ser atendido. La mayoría de los individuos al momento de su muerte reencuentra a sus amigos después del largo viaje, a quienes estuvieron en su nacimiento y

---

6. Los lectores pueden explorar *Through the Gates of Death*, de Dion Fortune (Londres; Aquarian Press, 1987); y *The Devachnic Plane*, de C. W. Leadbeater (Sussex del Este, Inglaterra: Society of Methaphysicians, 1986).

seres queridos que ya hicieron la transición. Los ángeles ministros en la muerte y en la agonía a veces son denominados "ángeles pastores". Son del clan del ángel Cassiel de Saturno y sirven al gran arcángel Tzaphkiel.

No todas las muertes traen consuelo. Las transiciones de quienes llevaron vidas de mal, que inflingieron a otros dolor y sufrimiento intencionado sufren muertes oscurecidas por el miedo. A tales individuos los esperan criaturas detestables, parasitarias y sombrías, a las que han "alimentado" sin saberlo con sus acciones en la vida. Esta carroña astral espera implacable para devorar la desintegrada psique. También los esperan las víctimas del otro lado que han decidido no "ofrecer la otra mejilla" por el mal que se les causó en vida. Puesto que el libre albedrío y la autodeterminación no terminan con la muerte, tampoco el odio ni la venganza, ni la redención ni el amor. Incluso a las personas que han hecho el mal en forma deliberada, en el momento de la transición se acerca un ángel brillante para guiarlas, si es que pueden tomar la mano extendida.

Culturas ajenas a la nuestra han buscado con sabiduría formas de ayudar a las almas que dejan el cuerpo; los sacerdotes de Anubis y Osiris en el antiguo Egipto, las sacerdotisas de Perséfone en Grecia y Roma. De hecho, los lamas tibetanos budistas asisten a los moribundos y los guían, no sólo en el momento en que se separan del plano físico, sino después, y los

guían telepáticamente en su viaje interior. La reco-
mendación judía para "acompañar a los muertos" es
una referencia esotérica al acto de guiar con bien a
los recién partidos a través del plano astral inferior,
de vuelta al espíritu que es el "padre", el dador de
semilla de la personalidad encarnada; en la sabiduría
judía, llamado en forma esotérica "el seno de Abra-
ham". Los círculos de rescate espiritual y las misas
católicas de réquiem también hacen mucho bien al
guiar almas errantes a los refugios de luz, a partir de
donde los ángeles pastores se encargan de llevarlos.
Me dijeron de una sociedad de sacerdotes católicos
que, a pesar de los teólogos, ofrecen misas de réquiem
una vez al mes con la intención de liberar un alma
del infierno.

Las muertes que ocurren de manera repentina,
como resultado de la violencia, accidente o desastre
natural, invariablemente involucran un trauma para
los recién fallecidos. Se sabe que después de un accidente aéreo fatal, los ángeles pastores llegan a la
escena astral usando las formas mentales de doctores
y enfermeras. Ayudan a las víctimas afligidas y en
estado de shock, construyen el doble astral del aero-
plano y después transportan a las almas que han
dejado el cuerpo al simulacro de un aeropuerto, que
es una de las antesalas en los niveles interiores al
lugar de la paz. Los ángeles que trabajan con los
moribundos no suelen mostrarse en su forma personal salvo en el caso de una alma avanzada. Por lo

general toman formas que confortan a quienes van en transición. Cuando se dan sucesos que causan muertes múltiples (temblores, bombardeos, etcétera), los humanos vivos que tienen la compasión y la capacidad dejan su cuerpo en trance o sueño y se proyectan en el nivel astral al lugar del desastre, donde trabajan bajo la supervisión de los ángeles pastores. Éste es uno de los significados de la frase de las escrituras que nos ordena "servir al Santísimo de noche y de día" y es una de las formas en que los ángeles y los humanos cooperan al servicio de Dios.

Si estás cerca de una persona agonizante trata de no sentir miedo o pesar, esfuérzate por emanar la seguridad que surge del conocimiento de la inmortalidad humana. Recuerda, esas personas no están cayendo en el olvido, sólo están cambiando de mundo; están quitándose una ropa y se pondrán una nueva en un futuro.

Aquellos que están cerca del portal de la muerte tienden a volverse muy psíquicos hacia el final. Puede ser muy tranquilizador para ellos tener cerca a alguien que no teme a lo desconocido.

Con la mente haz un llamado al ángel Cassiel y los ángeles pastores. Crea en tu imaginación el símbolo de llamado de Cassiel, la escalera de Jacob, una vasta escalera que se extiende por todos los reinos de la cual los ángeles suben y bajan. Haz la invitación en silencio:

Vengan a reunirse con (nombre), ángeles del señor; que los coros de los ángeles lo reciban y lo guíen a la luz perpetua.

En el nombre del más benévolo, que (nombre) sea acogido por los príncipes de la corte celestial. Que Rafael esté a tu derecha y Gabriel a tu izquierda; detrás, Miguel; y ante ti, Uriel. Sobre tu cabeza brilla la vela del Más Alto, ante cuya luz toda sombra se aleja. Amén.

Invoca a los ángeles pastores para ayudar en la transición, para facilitar el camino y dales la bienvenida pues vienen a dar paz al agonizante. Entonces, la cámara de la muerte se vuelve una puerta al Cielo iluminada por un glorioso Sol como el que la Tierra nunca ha visto.

Ejercicio 3

Sirvientes del Altar de la Vida

Este ritual está diseñado como una invocación para la "curación en ausencia". Es de manera primaria un llamado al arcángel Rafael y, como tal, se usa incluso si no se sabe la naturaleza de la enfermedad que una persona padece pues Rafael, como el ángel de la curación por excelencia y rector de la comunicación, llevará la intención del ritual a los ángeles necesarios para que la curación suceda. Sin embargo, este ritual no debe realizarse si la persona enferma no te pidió ayuda o curación; es vital que el individuo te haya dado permiso de ayudarlo.

Hacer este trabajo sin permiso previo es "violar los preceptos antiguos" para buscar invadir el campo del aura de otra persona. Tal acción, aunque sea bienintencionada, es una transgresión a la ley divina que sostiene la santidad del libre albedrío.

Esta ceremonia también se utiliza para curar una situación insalubre si una de las personas involucradas buscó tu apoyo, pero no debes especular sobre el resultado y debes buscar curación o sanidad para todas las partes involucradas. Hay veces que las situaciones se vuelven redundantes, los involucrados se hallan encerrados en las manos de la tiranía de historias pasadas y se sienten incapaces de continuar su camino. Con frecuencia preferimos quedarnos con lo que conocemos en vez de tomar el siguiente paso al futuro desconocido. En casos como éste, todos necesitamos el recordatorio ocasional de que "el siguiente paso" es el siguiente movimiento en el gran baile que lleva al mayor desarrollo y, por lo tanto, a una mayor plenitud.

Idealmente, esta ceremonia debe desarrollarse en un domingo o miércoles que la Luna esté creciendo. Pero en circunstancias extremas, puede llevarse a cabo en cualquier momento. Para hacer este ritual necesitas, además de lo habitual, lo siguiente:

- Seis velas amarillas.

- Un pañuelo (de preferencia que pertenezca a la persona para quien se hace el ritual).

- Una pequeña cantidad de aceite de olivo en un tazón o plato.

- Un artículo que servirá de enlace con la persona que pidió la curación. (Si la persona proporcionó el pañuelo, es suficiente; de otra manera necesitarás una fotografía del individuo o una carta que él haya escrito).

Acomoda el espacio sagrado de manera que el altar esté en el centro. Coloca las seis velas amarillas en soportes alrededor de la lámpara central del altar para que formen los puntos de la Estrella de David. Este símbolo de la estrella de seis rayos es un signo de gran potencia y representa el amor incondicional que surge de la conciencia de la unidad primaria de todas las cosas. Ya que éste es el modo normal de conciencia de nuestra identidad superior, dicho símbolo de la estrella de la unidad "habla" profundamente a la identidad superior tanto de la persona que realiza el ritual como de la persona por la que se ofrece la ceremonia. La energía que tal ritual genera se pone a disposición de la identidad superior de la persona enferma. La energía curativa fluye del nivel superconsciente de la identidad superior, a través de los vehículos astral, etéreo y físico, que son al mismo tiempo los niveles mental, emocional y subconsciente lo que produce un equilibrio armónico que es la plenitud.

Una vez que te hayas purificado con una ablución, entra al espacio sagrado y enciende la lámpara del altar y el incienso. Empieza por establecer un ciclo respiratorio suave y rítmico. Deja que tu mente entre en un estado de meditación, hazlo más intenso

conforme tomas, poco a poco, conciencia de la Inmanencia en el centro de tu ser. Reconoce que ella, Dios
en el interior, es la fuente de la que toda vida, toda
curación y toda vitalidad emanan con continuidad.
Renuévate bajo la sombra de sus alas. Pide permiso
para proceder con el ritual, espera un poco y si no hay
señal que condene esta acción, comienza la ceremonia.

Ve a los cuatro puntos cardinales, uno a uno, e
invoca la presencia de los Malakim, los ángeles del
Sol que tienen rectoría sobre los elementos. En dirección al este, envía este llamado:

Paralda, sirviente del Altísimo, rey dorado
de los silfos del aire, escucha mi voz. Ven al
este, la estación del Sol naciente, y exhala
el aliento de vida en este sagrado lugar para
la curación de (nombre). *(En el aire que está*
frente a ti, traza en el sentido de las manecillas
del reloj un círculo con un punto en el centro, el
signo del Logos Solar).

En dirección al sur, envía este llamado:

Jinn, sirviente del Altísimo, rey dorado de
las salamandras de fuego, escucha mi voz.
Ven al sur, la estación del Sol al mediodía,
y enciende el fuego de la vitalidad en este
sagrado lugar para la curación de (nombre).
(Traza el círculo con un punto en el centro).

En dirección al oeste, envía este llamado:

Nixsa, sirviente del Altísimo, rey dorado de las ondinas del agua, escucha mi voz. Ven al oeste, la estación del Sol poniente, y vierte el rocío de la gracia del cielo en este sagrado lugar para la curación de (nombre). (Traza el círculo con un punto en el centro).

En dirección al norte, envía este llamado:

Ghob, sirviente del Altísimo, rey dorado de los gnomos de la dulce Tierra, escucha mi voz. Ven al norte, la estación del Sol a la media noche, y planta las semillas del nuevo crecimiento y del florecimiento dentro de este sagrado lugar para la curación de (nombre). (Traza el círculo con un punto en el centro).

Regresa al altar, extiende tus brazos y di:

Ye Malakim, seas bienvenido; el Señor, a través de mí, te saluda. Selah.

Ahora toma el artículo que te enlaza con la persona enferma, preséntala ante la lámpara del altar y di:

Mirad, oh Señor del Universo, a tu hijo (nombre) que está enfermo y en sufrimiento. Si es tu voluntad, envía a tu santo arcángel

Rafael, tu mano curativa de la esfera del esplendor para curarlo.

Coloca el enlace y el pañuelo en el altar ante la lámpara dentro de la estrella de seis velas y enciende una vela con la lámpara. Empieza con la vela del este y enciende cada una de las seis lámparas en el sentido de las manecillas del reloj.

Con la primera vela di: **YOD**

Con la segunda vela di: **HEH**

Con la tercera vela di: **VAV**

Con la cuarta vela di: **HEH**

Con la quinta vela di: **ELOAH**

Con la sexta vela di: **VA-DA'ATH**

Cierra el círculo con estas palabras:

En el nombre del Creador Divino, envuelvo a (nombre) con la estrella del amor eterno.

Ahora toma el aceite de olivo e inhala de él seis veces, entonando con cada respiro, **"Rafael"**. Mira una corriente de energía dorada que penetra al aceite con cada respiro. Mentalmente llama a todos los poderes sagrados presentes, moja el pañuelo con el aceite, usa de nuevo el símbolo del Logos Solar y mientras lo haces, visualiza la cara de la persona enferma sobre la tela blanca. Di:

En el nombre de YAHVÉ-Eloah-va-Da'ath e invocando la ayuda del santo arcángel Rafael y los Malakhim de Dios, te cubro a ti (nombre) con aceite para que recibas salud de alma y cuerpo. Que el Santísimo te cubra con el aceite de la alegría y dé paz a tu alma.

Retírate por un momento y observa el flujo de energías curativas de los puntos cardinales y de la parte superior mientras se mueven en el pañuelo dentro de la estrella de velas. A veces encontrarás un exceso de energía que fluye hacia ti también; en otras ocasiones, puedes salir del ritual con una sensación de vacío.

Cuando sientas que es el momento adecuado dobla el pañuelo en cuartos y colócalo debajo de la lámpara del altar; déjalo ahí hasta que se lo des o se lo envíes a la persona para la que se ha bendecido, quien debe mantenerlo consigo hasta que la enfermedad desaparezca. Ahora en cada punto, empieza por el norte y ve en dirección contraria a las manecillas del reloj, por el oeste, el sur y al final el este, y di:

Ángel del Sol, Malakh de los duendes de los elementos, agradezco tu servicio. Ve en paz ya que el Señor te bendice por mi conducto.

Haz una señal desde tu corazón en la dirección que estás, permitiendo que la luz del Señor bendiga a sus hijos de otras evoluciones.

Cuando todo se concrete, agradece ya sea con tus propias palabras o en silencio en el altar. Permite que las seis velas amarillas estén encendidas durante media hora antes de apagarlas. Las velas pueden guardarse para hacer la misma ceremonia en otra ocasión.

Capítulo 4

Por sus Signos los Conocerás

*...pues ha dado a sus ángeles la orden de
protegerte en todos tus caminos.*[1]

En este capítulo aprenderás a invocar a los ángeles
maestros para que te ayuden con los asuntos que
rigen. El método es el de la petición angelical. Ésta es
una forma de invocar directamente a un ángel en
particular, a diferencia de la magia de la Luna, en la
que sólo puede invocarse a los ángeles a través del
arcángel Gabriel.

Para valerte de este método necesitarás aprender
los colores, los días de rectoría y los "signos de llamado" personales de los ángeles maestros. También
aprenderás el "lenguaje de Omens" mediante el cual
los ángeles se comunicarán contigo.

---

1. Salmos 91:11.

El Lenguaje de Omens

Los ángeles se comunican con la mayoría de las personas a través de la mente subconsciente. Sólo aquellos pocos entrenados específicamente o dotados de gracia hablan con ellos cara a cara. El subconsciente es el aspecto de la mentalidad que compartimos con todas las demás formas de vida (mineral, vegetal y animal). Ya que la subconciencia es común a todos, podemos comunicarnos con todo lo demás. La base de este asombroso hecho es la vida del Señor que permea y da vida a todo. Pero la comunicación entre las diversas formas de vida no sólo ocurre en lenguaje hablado. Las imágenes, las emociones y las impresiones son las formas empáticas más usuales de comunicación.

Sucede lo mismo con los planos interiores de ser. A pesar de que para algunos videntes parece que la entidad está "hablando", de hecho la comunicación está hecha de resonancia entre dos mentes que comparten el mismo estado de conciencia. Esto no parece tan peculiar cuando recuerdas ocasiones en que "sabías" lo que un amigo estaba sintiendo. Aunque es poco probable que las palabras de tu pensamiento fueran idénticas a las de tu amigo, captaste con telepatía la sensación detrás de su estado de conciencia. Como muchas facultades psíquicas, la telepatía es mucho más común de lo que sospecha la mayoría. Todas las facultades psíquicas requieren que haya emociones para funcionar. La empatía entre dos seres habilita la comunicación. Un reconocimiento sincero de lo divino en el interior de otro ser, sea un animal, un árbol, un cristal o una roca, en conjunto con un estado mental tranquilo y paciencia, habilita a una persona a oír y aprender del "Canto de la Creación".

Sin embargo, conforme una persona practica la magia sagrada, gradualmente entra en sintonía con la vibración de los ángeles y, en la mayoría de los casos, se produce una forma directa de comunicación. Los ejercicios de este libro, los caminos y rituales, se diseñaron en forma específica para facilitarlo.

Para comunicarse con la humanidad, los ángeles usan el lenguaje de omens; lo que significa que usan diversos animales, aves y árboles sagrados para ellos como mensajes para nosotros. Un omen debe ser sincrónico, espontáneo y ocurrir dentro de la órbita de tiempo específica de cada ángel.

Por ejemplo, las naranjas son sagradas para el arcángel Miguel y un regalo de ellas es un omen de él si se recibe dentro de los primeros siete días después de invocarlo. Sin embargo, no es un omen si invocas a este arcángel y después sugieres a alguien que te compre naranjas. Si alguien te envió naranjas desde Italia semanas *antes* de invocar al arcángel y éstas llegaron como regalo sorpresa *después* de la invocación, ¿es un omen genuino? Sí pues no lo planeaste y llegó en el momento correcto, dentro de los siete primeros días de la invocación. Forzar o falsificar omens no engaña a nadie, excepto a ti. Un omen debe ocurrir en forma espontánea e inesperada. Cuando recibes un omen verdadero, *lo sabes*; tu corazón "te quema" en respuesta a la señal angélica.

Una consecuencia de este tipo de comunicación es que los sucesos y eventos que otros consideran triviales son muy importantes para alguien que trabaja con los ángeles. También produce reacciones y comportamientos que otras personas consideran desconcertantes.

Una ilustración será útil. El ángel Sachiel rige la ayuda monetaria y financiera. Entre los omens tradicionales de la aprobación de Sachiel para dar ayuda es encontrar una moneda extranjera en tu cambio. En estos días, la mayoría de las personas no "bendice al Señor" por encontrar una moneda extranjera en su cambio.

Pero he visto a uno de mis compañeros practicantes de la magia angélica gritar de alegría y brincar al hallar una moneda extranjera, lo que parece extraño a las personas cercanas. Puedes imaginar las dificultades de tener que explicar el comportamiento exuberante del practicante.

Para ser un omen genuino de los ángeles, una señal debe mencionarse en forma específica en la tradición, venir dentro de la órbita de tiempo precisa de cada ángel y ser espontánea e inesperada.

Las Escrituras Sagradas

Las peticiones a los ángeles se escriben en una de dos escrituras o, en algunos casos, en una combinación de las dos. Ambas escrituras se encuentran en el apéndice I. La primera es llamada *La Escritura Tebana*, por Honorio de Tebas. Esta escritura se usa para los dos talismanes de poder de la Luna en el capítulo 2 y para peticiones a otros seres angélicos. Para usar esta escritura, sólo debes cambiar el carácter romano de nuestro alfabeto al equivalente de la escritura.

La segunda escritura sagrada se llama *Escritura Paso del Río*. De las dos, esta escritura es más poderosa. Según la tradición es una forma primitiva del hebreo litúrgico y sus letras son cosas vivientes. Es más difícil de usar ya que requiere de más que un cambio de letras, como en la tebana. Los caracteres de la *Escritura Paso del Río* tienen un valor fonético. Así que al usar esta escritura debes escribir las palabras fonéticamente. Verás que esta escritura tiene un carácter para SH y otro para S y un carácter para T y otro para TH. No tiene carácter para F, pero usa los dos que forman las letras P y H. Se usa dos caracteres V para formar la W. Se usa el mismo carácter para la J y para la Y. También hay un carácter usado para L o para EL (se utiliza para la última sílaba de la palabra "angEL" y para los nombres propios de los ángeles maestros). Suena complicado pero la verdad es que es muy simple cuando se pone en práctica.

Nota: En el idioma original de este texto (inglés), la aclaración sobre el uso fonético de los signos es necesaria; no así en español, en el que las letras sólo tienen un valor de sonido que ya es fonético en sí.

Al escribir en la *Escritura Paso del Río* es importante que pronuncies la palabra que escribes mientras lo haces para que el poder de esta escritura llegue a todos los niveles y tenga manifestación total de sonidos y signos. Todas las cartas de petición para los ángeles se escriben en plural, nunca "por favor ayúdame", sino "por favor ayúdanos".

PRIMER SIGNO ZODIACAL	SEGUNDO SIGNO ZODIACAL	SÍMBOLO PLANETARIO	SIGNO DE LLAMADO DEL ÁNGEL
Aquí escribe el nombre y el título del ángel			
Después escribe tu petición aquí			
Y termina con tu nombre			

Ilustración 3. Peticiones Angélicas

Todas las peticiones se escriben en recuadros de papel de color (de acuerdo con cada ángel) con tinta de un color complementario. En la parte superior de la petición se dibuja una cuadrícula (ver ilustración 3), en la que se colocan los símbolos de la rectoría del ángel específico y el "signo de llamado" personal de ese ángel. La solicitud entonces se escribe en la escritura sagrada apropiada.

Sólo velas blancas se prenden al escribir la petición, las velas de color se usan sólo al formar talismanes angélicos (ver capítulo 6). La petición se conserva durante el tiempo específico, durante el cual —si la petición ha de ser concedida—, la señal o señales de consentimiento del ángel vendrán a ti como un omen. Cuando transcurre el tiempo específico, sin importar que tu solicitud se haya concedido o no, la sustancia física de la petición angélica debe destruirse con fuego para liberar la energía que contiene.

Si tu petición no recibe una señal de aprobación puede ser que el tiempo sea inapropiado. Los ángeles, con un panorama completo de la creación, ven cómo embonan las diferentes piezas del rompecabezas de la vida. Si una petición es rechazada, déjala por unos meses y vuelve a invocar, puede ser que ya sea el momento adecuado. Debes aprender a distinguir entre querer algo y necesitarlo; existe una gran diferencia. La ayuda de los ángeles no ocurrirá cuando puedas lograr la meta por tu propio esfuerzo.

Aumentará tus propios esfuerzos y hará lo que tú no puedes.

Cuando un ángel aprueba una petición, puedes tener la completa seguridad de que el resultado se dará dentro de la órbita de tiempo del ángel (ver capítulo 1). Debajo del Señor, los ángeles son poderosos. Si un ángel da su consentimiento a tu petición, el asunto está en las mejores manos del universo. Los resultados producto de la intercesión angelical a veces son más que mágicos; incluso milagrosos.

Ahora consideraremos a cada uno de los ángeles maestros y daremos la información que necesitas para invocar su ayuda en los asuntos que rigen.

Arcángel Gabriel

El arcángel Gabriel rige a la Luna y sus poderes. Existe una encantadora leyenda árabe de que al principio de la creación, el Sol y la Luna tenían el mismo brillo, ambos reflejaban la luminosidad del trono divino. Eran como dos soles. Como consecuencia, las criaturas de la Tierra no podían distinguir el día de la noche, cuándo laborar y cuándo descansar. Así que el Señor, Alá, por compasión ordenó al arcángel Gabriel (Jibril en árabe) disminuir la luz de la Luna. Gabriel lo hizo con sólo tocar el globo lunar con sus alas. La luz de la Luna, una vez tan brillante como la del Sol, se volvió suave, fresca y plateada. Se dice que las marcas que se ven sobre la cara de la Luna son las huellas que dejaron las plumas de las alas del arcángel.

Puedes hacer peticiones al arcángel Gabriel en noches de Luna nueva o llena y en lunes. La petición debe escribirse en papel blanco con tinta azul o plateada. Debe escribirse toda en escritura tebana, empezar con las palabras: "Al arcángel Gabriel de la Luna", seguidas por la petición "por favor ayuda (etcétera)" y terminar con "gracias" y tu nombre. Los iniciados de los Misterios deben firmar la petición con su nombre verdadero. Los símbolos que se dibujan en las peticiones al arcángel Gabriel se muestran en la ilustración 4. La carta de petición debe conservarse durante 28 días, un ciclo lunar entero. Dentro de este tiempo vendrán los omens de consentimiento de Gabriel.

Los omens que significan la aprobación de Gabriel son muchos, como un regalo inesperado en forma de molusco o una invitación a una comida en la que se sirven moluscos; un regalo de melones, lichis o peras; una visita a un lugar donde encuentres un árbol de peras floreciendo o con frutos; un regalo de plata o una invitación sorpresa a un bautizo o una ceremonia de rito del nacimiento. Oír de un bebé que nació o que un bebé visite tu casa por primera vez son señales de la aprobación de Gabriel, igual que un perro desconocido que te honre con su afecto o un perro que ladre todo el tiempo afuera de tu casa. Adquirir un nuevo perro o cachorro, ver un sauce llorón por primera vez o que uno te llame la atención en forma inesperada también son señales positivas. Que una mariposa nocturna entre en tu casa, una araña que establece su residencia ahí o ver a una araña tejiendo su red; un rayo de Luna que brille sobre ti o en cualquier lugar de tu casa; un regalo de flores blancas o el florecimiento repentino de una flor blanca en tu jardín; todos estos omens indican que el arcángel Gabriel concederá y bendecirá tu petición.

Ilustración 4. Los signos de Gabriel; el símbolo del signo zodiacal de Cáncer, el cangrejo; la media Luna, que significa el crecimiento de la Luna; el signo de llamado personal de Gabriel, la corona estelar de la Luna.

Ángel Samael

Pide en martes al ángel Samael. La "carta" debe ser de papel blanco con tinta roja. La petición completa debe escribirse en *Escritura Paso del Río* y dirigirse: "Al ángel Samael de Marte, el gran ángel protector" seguido de la petición misma, una expresión de gratitud y tu nombre. Las cartas a Samael se conservan durante siete días, desde el martes de la invocación hasta el siguiente martes, después se queman. Durante estos siete días llegarán sus omens o señales si decide ayudarte. Los cuatro símbolos que hay que poner en la parte superior de las peticiones al ángel Samael se muestran en la ilustración 5.

Los signos del consentimiento de Samael incluyen el regalo de un cuchillo, espada o cualquier instrumento filoso; cuchillos que caen en la tierra por cualquier razón, tirar pimienta o especias, las chispas del fuego u otras cosas relacionadas con el fuego. Ver luz roja, ser picado por una avispa o cualquier otro insecto, o la aparición de un punto rojo pueden ser señales de la aprobación de Samael; así como un regalo de castañas de indias, el encuentro inesperado de un árbol de pimiento, un sueño de ovejas (o carneros) o un regalo de piel de oveja u otro adorno en forma de oveja. Si pediste la curación de una parte específica de tu cuerpo, Samael puede expresar su consentimiento al generar calor en ese lugar. Cualquiera de estos omens en los primeros siete días de la petición son un signo de que el ángel protector te ayudará.

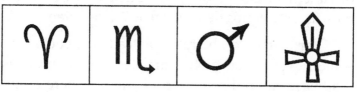

Ilustración 5. Los signos de Samael: el jeroglífico de Aries, el carnero; el signo de Escorpión; el símbolo del planeta Marte; el signo de llamado personal de Samael, la espada desenvainada.

Arcángel Rafael

Las cartas de petición a Rafael se escriben en miércoles. Se escriben en tinta negra sobre papel amarillo. Además de las rectorías ya mencionadas se pide a Rafael ayuda para recuperar cosas perdidas, atrapar ladrones y para protegerse en general de los robos. Escribe peticiones a este arcángel en cualquiera de las dos escrituras sagradas.

Los símbolos para la petición se muestran en la ilustración 6. Las cartas a Rafael se conservan por siete días y durante ese tiempo se manifestarán sus omens.

Rafael puede expresar su aprobación con un ave que entra a tu casa o hace nido cerca de tu casa o jardín. El regalo de un ave, un ave parlante que te da un mensaje, un regalo o el florecimiento repentino de flores amarillas, la aparición repentina de un helecho o maleza (en especial en una pared, techo o entre losas), un sueño de monos o escuchar una historia sobre ellos, una plaga de moscas, cualquier regalo ornamentado con un diseño que tenga aves, monos o moscas, son signos de la aprobación de Rafael.

Ver álamos o abedules plateados, escuchar un sonido extraño en dichos árboles; recibir muchas visitas inesperadas; experimentar un incremento en tu correspondencia; hacer un viaje sorpresa o ver luces rápidas; recibir un espejo como regalo o el rompimiento accidental de uno; cualquiera de estos omens que aparezca dentro de los primeros siete días es un signo de la ayuda veloz del arcángel Rafael.

Ilustración 6. Los signos de Rafael: el signo de Geminis, los mellizos; el glifo de Virgo; el símbolo del planeta Mercurio; el signo de llamado de Rafael, la cabeza de un ave.

Ángel Sachiel

Se le invoca los jueves y la petición se conserva por siete días mientras esperas señales de su aprobación. Las cartas para él se elaboran en tinta azul sobre papel lavanda o en tinta morada sobre papel blanco. La petición entera debe escribirse en *Escritura Paso del Río*. Los símbolos particulares para dirigir cartas al ángel Sachiel se muestran en la ilustración 7.

Sachiel muestra su aceptación a través de muchas señales. Encontrar una moneda extranjera en tu cambio o encontrar dinero en la calle es una señal de incremento financiero. Ver luz morada o motas doradas bailando en el aire; hacer un viaje sorpresa al mar o un recorrido en barco; recibir noticias inesperadas sobre un marinero o pescador; recibir cualquier regalo del mar o adornado con diseños de peces, elefantes

o ballenas o ver a cualquiera de estas criaturas sin
aviso, indican el consentimiento de Sachiel. Recibir
flores moradas o uvas; ver un roble por primera vez,
encontrar o recibir bellotas, agallas de roble u hojas;
recibir o soñar sobre barcos; recibir un regalo de
dinero o un aumento de salario; ver en persona a un
miembro de la familia real (cualquier familia real), en
especial de los soberanos, son de igual forma señales
favorables. Que una abeja entre a tu casa o vuele cerca
de ti (ya que las abejas hacen miel, que es el "oro de
la naturaleza") es un omen bendito. Ver una abeja
reina, en el enjambre o en otro lado es el signo más
afortunado de todos. Cualquiera de estas señales, si
ocurre en los primeros siete días, es indicadora de que
el ángel Sachiel concederá tu petición.

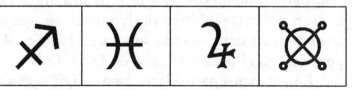

*Ilustración 7. Los signos de Sachiel: la flecha de Sagitario,
el centauro; el símbolo de Piscis, los peces; el glifo del
planeta Júpiter; el signo de llamado privado de Sachiel, "el
papel de la fortuna".*

Arcángel Haniel

Haniel, el gran ángel del amor y el afecto, se invoca
en viernes. Sus cartas se conservan durante 28 días y

se queman en el cuarto viernes tras la invocación. Toda la petición debe escribirse en la *Escritura Paso del Río*, excepto tu nombre al final de la carta, que debe escribirse en *Escritura Tebana*. Las peticiones a Haniel pueden hacerse en papel azul o rosa y escribirse en tinta azul o roja. Los signos de poder de las cartas de Haniel se muestran en la ilustración 8.

Las señales de aprobación son: recibir un regalo de manzanas; ver manzanos sin esperarlo o recoger manzanas caídas del árbol; oír el arrullo de las palomas; ver o recibir un periquito azul. Que una paloma o un pájaro azul entren a tu casa o jardín; un obsequio de rosas, ajenuz o delfinios; un regalo sorpresa de ropa rosa o azul también son signos favorables. Si tu petición tiene qué ver con el amor entre tú y otra persona, recibir cualquier tipo de anillo o encontrar uno, incluso un aro de cortina, es un omen de aprobación. Cualquiera de estos signos, si ocurre dentro de los 28 días después de la invocación, es indicador certero de la ayuda del arcángel Haniel.

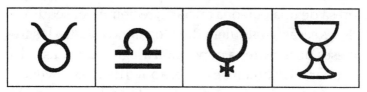

Ilustración 8. Los signos de Haniel: el símbolo de Tauro, el toro; el signo de Libra, la balanza; el glifo del planeta Venus; el signo de llamado de Haniel, el cáliz, la copa de la felicidad.

Ángel Cassiel

Se puede invocar al ángel Cassiel en sábado. Las peticiones para él se escriben en papel blanco, con tinta negra o lápiz. La *Escritura Paso del Río* se usa en toda la carta. Cassiel trabaja lento pero seguro, así que la petición debe conservarse durante tres meses completos del calendario y, en este tiempo, Cassiel enviará sus omens si decide ayudarte en el asunto expuesto. Los tres símbolos que deben colocarse en la parte superior de la petición al ángel de Saturno se muestran en la ilustración 9.

Cassiel muestra su favor en ramas de árboles siempre verdes (los árboles de la paz) recibidas sin aviso o encuentros con una tortuga o un loro. (¡Escucha lo que el loro puede decir!) Encontrar una lombriz en tu camino; encontrar plomo en cualquier forma; recibir un regalo de carbón o encontrarlo por coincidencia; probar de manera inesperada algo amargo; recibir una invitación repentina a un funeral o a una ceremonia en memoria de alguien, o una visita sorpresa de una persona anciana; recibir un obsequio de flores secas; cualquiera de estos signos dentro los tres meses posteriores a tu petición asegura que Cassiel te ayudará. Un omen de que el apoyo de Cassiel vendrá pronto es una caída repentina de hollín en una chimenea. Si recibes este omen, di: "Que el ángel Cassiel me bendiga por esta señal que me ha dado". Si necesitas ayuda urgente en cualquier asunto sobre el que

Cassiel tenga rectoría, invócalo a través de Rafael o de Gabriel en los trabajos de Luna nueva.

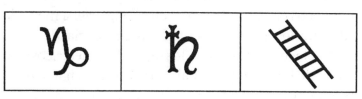

Ilustración 9. Los signos de Cassiel: el signo astrológico de Capricornio, la cabra marina; el símbolo planetario de Saturno; la escalera de Jacob, el signo de llamado personal de Cassiel.

Arcángel Uriel

El poderoso arcángel comparte el sábado con Cassiel como su día de invocación y convocatoria. Las cartas para Uriel se escriben sobre papel blanco en tinta verde, en *Escritura Paso del Río* por completo, incluidos el saludo, la petición y tu nombre. Todas las peticiones a este arcángel se dirigen así: "A Uriel, ángel del trono de Dios y fuerza mágica". La carta se conserva por 14 días y entonces se quema. Si Uriel ha decidido otorgar su potente ayuda, sus señales de consentimiento aparecerán en los primeros 14 días de la existencia física de la carta. Nunca pidas la ayuda de Uriel en algún asunto que puedas resolver solo. Los tres símbolos mágicos que encabezan toda carta para Uriel se muestran en la ilustración 10.

El planeta Tierra es magnético en esencia y una de las maneras en que recibe fuerza (que es eléctrica por naturaleza) es a través de los rayos de las tormentas eléctricas. Como ya se mencionó, Uriel a menudo se manifiesta en tormentas. La presencia de Uriel afecta la electricidad y los aparatos eléctricos. Su signo de llamado personal, el relámpago, habla de la fuerza potencialmente devastadora de la que Uriel es lente.

El relámpago también indica la velocidad con la que este arcángel por tradición produce los resultados cuando se le invoca. La ayuda de Uriel puede solicitarse en todos los asuntos de enfermedades del sistema nervioso (que opera mediante impulsos eléctricos).

Los omens favorables de Uriel incluyen adornos o cuadros que muestran unicornios, ya sea que se observen sin aviso o se reciban como regalo. Ver una alberca de aceite reluciente o que un arco iris entre en tu casa por medio de la refracción de la luz; ver una lagartija o un camaleón; recibir un regalo de plátanos, mangos o flores multicolores; recibir una hortensia o que una que ya tienes cambie de color; ver una libélula o recibir un regalo con un motivo de libélulas; éstos son todos signos de la aprobación de Uriel. Ver un arco iris en el cielo es la señal más hermosa de la ayuda de Uriel. Cualquiera de estas señales que ocurra en los primeros 14 días indica el consentimiento de Uriel.

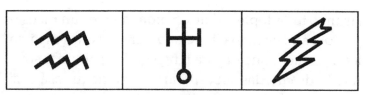

Ilustración 10. Los signos de Uriel: el signo zodiacal de Acuario, el aguador; el signo del planeta Urano; el signo de llamado de Uriel, el relámpago.

Arcángel Miguel

El domingo es el día sagrado para el arcángel Miguel y debe usarse para invocar su ayuda en los asuntos que gobierna (ver capítulo 1). Las cartas para Miguel se escriben en papel blanco con tinta anaranjada o dorada. El vocativo de la carta ("Al arcángel Miguel") se escribe en *Escritura Paso del Río*, la petición se escribe en *Escritura Tebana* y el nombre se firma en *Escritura Paso del Río*. Las peticiones a Miguel se conservan de domingo a domingo y durante los siete días intermedios recibirás señales de consentimiento si Miguel te favorece. Los tres símbolos colocados sobre las cartas a este arcángel se muestran en la ilustración 11.

Miguel puede mostrar su aprobación con un regalo de naranjas, caléndulas, girasoles o granadas, o cualquier regalo adornado con una corona. Encontrarte iluminado por un rayo de sol en forma inesperada, que un gato perdido entre a tu casa o jardín o te "adopte" (dale comida, pues es un mensajero del arcángel); recibir cualquier cosa que tenga un león pintado; que tu gata tenga gatitos; oír un instrumento de cuerdas sin esperarlo cerca de tu casa o, si tienes un piano, que emita sonidos; todos estos son signos positivos. Ser invitado a una boda o a unas bodas de oro o (aunque las carrozas no son un medio de transporte del siglo XX) ser invitado a un viaje en un vehículo de ruedas, es un signo de aprobación porque simboliza el Gramadion, la carroza del Sol. Ver una mariposa dorada en tu jardín o en tu casa o que un falangio entre a tu casa; visitar cualquier lugar donde haya un árbol de laurel en crecimiento o que ese árbol susurre de tal manera que llame tu atención. Cualquiera de estos omens que ocurra dentro de los primeros siete días es una señal del consentimiento del arcángel Miguel.

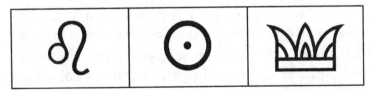

Ilustración 11. Los signos de Miguel: el jeroglífico de la melena del león de Leo; el círculo y punto del logos solar; el signo de llamado de Miguel, la corona de oro de la realeza.

A veces mientras esperas una señal de un ángel cuya ayuda invocaste, puedes recibir lo que parece ser un omen pero no aparece en las listas dadas. Quizá sea incluso muy espectacular. Recuerdo en una ocasión recibir muchas imágenes del arcángel Miguel. Si esto sucede, no es un omen de aprobación del ángel. Es sólo una indicación de que tu petición se ha recibido, ha sido revisada y no se ha aprobado. Los únicos omens con los que puedes confiar en que tu petición será otorgada son los mencionados. De otra manera, corres el riesgo constante de "desear que se cumpla" tu petición, de tu mente subconsciente, lo que hace que aparezcan "señales" y puede producir amargas decepciones.

Sin embargo, si has pedido a un ángel y recibido una o más (Rafael es famoso por mostrar muchos signos) de las señales de consentimiento, puedes dar por sentado que tu problema será resuelto por un ser de irresistible poder y todo debe marchar bien pues Dios ha mandado a sus ángeles a ayudarte.

Cómo Convocar
a los Seres Brillantes

Esta ceremonia puede usarse como un ritual de acción de gracias o como un ritual intercesor para algo de gran importancia. Prepara un espacio donde no se te interrumpa, con seguridad de mente y cuerpo. Asegúrate de que el lugar esté limpio y en armonía. Decora el espacio con flores frescas para representar la belleza de la Tierra. Quema un incienso agradable (el incienso de iglesia es ideal) para crear una atmósfera que reciba como es debido a los poderes sagrados.

En el centro del espacio prepara un altar. Puede ser una mesa de café o un librero o cualquier mueble con una superficie en la que puedas trabajar. Reviste el altar con una tela blanca limpia. Sobre él coloca una lámpara (una lamparilla en un soporte de vidrio claro) para simbolizar la Inmanencia, la Luz del Señor abrigada en todo corazón humano, siete velas (una para cada uno de los Elohim, los "siete espíritus que están ante el trono"), una vela pequeña para prender las velas y una taza o copa de vino tinto o jugo de uva. Para trabajos avanzados de esta ceremonia, las siete velas son de color para hacer el arco iris de la paz, una vela por cada uno de los siete colores.

Cuando todo está listo, toma un baño de purificación. Agrega un poco de sal al agua y sumérgete en ella con la intención de purificarte en corazón, mente y cuerpo. Vístete con ropas limpias o con una túnica. Pon un poco de tu perfume favorito o aceite con esencia en las palmas de las manos y las plantas de los pies pues tocarás cosas sagradas y caminarás sobre suelo santo.

Entra en el lugar preparado y medita en silencio, céntrate para el ritual. Ahora enciende la lámpara del altar y mientras miras el brillo de la flama, toma conciencia de que es una señal exterior de la Luz que brilla en el centro de tu ser.

Permite que este pensamiento se intensifique, no lo apresures, trata de alcanzar el conocimiento de que tu identidad más profunda es el Señor que está en todo. Desde ese lugar interior de conocimiento, procede con la ceremonia.

Toma la lámpara con ambas manos, elévala por encima de tu cabeza y di:

Mirad, la luz brilla en la oscuridad y la oscuridad no puede vencerla. Fiat lux.

Ahora híncate y con reverencia pon la lámpara en el suelo diciendo:

La tierra es del Señor, así como la abundancia que hay en ella.

Ponte de pie y con la lámpara ante ti camina al este. Con ella traza un círculo y canta, cualquier melodía que llegue a ti: *"RA-FA-ALE"*. Ahora camina al oeste, con la lámpara traza una media luna (los dos cuernos hacia arriba) y canta: *"GAH-VRE-ALE"*. Regresa al altar en el centro. Camina al sur, con la lámpara traza un triángulo equilátero que apunte hacia arriba y entona: *"MI-KA-ALE"*. Ve directo al norte, traza un cuadrado y canta: *"UR-EE-ALE"*. Regresa al altar. Toma el contenedor de incienso prendido y camina alrededor del espacio sagrado tres veces en la dirección de las manecillas del reloj diciendo:

Deja que este incienso ascienda ante ti, oh Señor profundo y altísimo, como un sacrificio de dulce olor. Envía a tus santos ángeles a acogernos y exhala sobre nosotros el espíritu de tu bendición.

Ahora has sellado las siete direcciones —arriba, abajo, al este, al oeste, al sur, al norte y adentro— con la luz del Santísimo. Nada puede entrar en este lugar que no sea de la luz o sin tu invitación expresa.

Toma la vela pequeña y enciéndela de la lámpara, prende las siete velas. Mientras lo haces, di:

> *Enciendo las siete lámparas ante el trono, la gloria de los Elohim. Que ellos enfoquen la luz celestial, iluminen mi ser y muestren el camino de la paz sobre el que he de caminar. Selah.*

Ahora toma un poco de tiempo para reunir tus energías en un rayo dirigido de intención pura. Después manifiesta la invocación de convocatoria:

> *Oh Señor, Gran Misterio, fuente de todo ser, escucha mi llamado. Envía a tus hermosos y santos ángeles de tu luz a llenar los lugares vacíos de mi corazón con tu rocío; oh, Fuente de Vida.*

> *Ahora, llamo a tus brillantes anfitriones para elevar su morada conmigo en este sagrado lugar.*

> *Antes de que el tiempo empezara a correr llevabas la semilla del fuego eterno, inmortal y resplandeciente, brillante como las estrellas y terrible como el relámpago, tierno como un beso maternal y asombroso en la omnipotencia del nombre.*

Ángeles de inefable luz, espíritus puros de belleza; veni ad me.[1]

Arcángeles de la presencia, regentes de la creación; veni ad me.

Tronos de lo eterno, altares del Shekinah: veni ad me.

Dominaciones misericordiosas, rectores de todo; veni ad me.

Grandes principalidades, guardianes de las naciones: veni ad me.

Poderes del creador, atributos de lo inmanente: veni ad me.

Serafines de fuego, guerreros alados de la Luz: veni ad me.

Malakhim reales, reyes de brillo solar de los elementos: veni ad me.

Querubines poderosos, constructores del universo: veni ad me.

Ashim relucientes, red de vida de rociada de gracia: veni ad me.

Juntos, en vida por el Señor; unidos, con el amor del Señor; juntos, al señor decimos: tú, arte santo y sagrado, el más agraciado, todos los mundos están llenos de tu gloria;

---

1. *Veni ad me*: vengan a mí.

eres tú el arte que nos maravilla y que vemos en todas partes, la canción que entonan nuestros espíritus. Levanto mi voz a ti y te entrego mi corazón. Te pido (aquí escribe tu petición) o te agradezco (da gracias por la bendición específica recibida). Tómame en tus sagradas manos, escucha mi voz y dame tu ayuda.

Ahora estás entre los poderes celestiales en el centro del mundo. Abre tu ser a ellos y permite que sus poderes verdaderamente mágicos fluyan a través de ti y al interior de tu vida. No te apresures, sólo permanece con ellos, deja que sus alas te curen, deja que sus pensamientos te toquen, deja que su amor te envuelva.

Ahora alza la copa de vino y di:

Fuente del Tetragrámaton, llena el cáliz de mi alma con tu grial de gracia.

Con este símbolo de comunicación entre el corazón de todo el brillo y yo, su hijo, brindo por mis resplandecientes acompañantes, los ángeles de luz. Bajo la sombra de sus alas, he de caminar en paz y belleza. Amén, Selah, Amén.

Bebe un poco de vino, a sabiendas de que la divina influencia entra en forma alquímica en tu cuerpo por ese medio. También se trata de una copa de amor entre los ángeles y tú. Deja un poco de vino como ofrenda a los poderes. Ahora, extingue las siete velas del altar diciendo:

Regresen tus gloriosos anfitriones del cielo a tus reinos de día interminable; y por la chispa divina del Señor Eterno, que vive en mí siempre, seas bendito. Ite missa est.

Ahora, en dirección al norte, di:

Que en el norte haya paz, bendito sea Uriel.

En dirección al sur, di:

Que en el sur haya paz, bendito sea Miguel.

En dirección al oeste, di:

Que en el oeste haya paz, bendito sea Gabriel.

En dirección al este, di:

Que en el este haya paz, bendito sea Rafael.

Alza la lámpara al nivel de tu corazón y di:

Arriba, abajo y adentro, brilla la gloria del Señor.

Adonaí-Shalom

Tu espacio sagrado ahora ha regresado a la realidad ordinaria, pero es bendito pues los anfitriones del cielo han caminado en él.

Después del ritual, vierte el vino restante sobre la buena tierra como un regalo para compartir con toda la vida. El mantra de bendición "Paz a todos los seres" es apropiada para esta libación.

Capítulo 5

Los Devas

Dios colocó a Adán en el Edén
para que cultivara rosas.[1]

Hace aproximadamente 15 mil millones de años, el universo físico "empezó a existir" con el Big Bang, la "orden" creativa del Logos (un "sonido", una vibración que todavía puede oírse y medirse en el espacio). La materia hizo explosión para crear cientos de miles de millones de galaxias. Algunas aún viajan en dirección contraria al centro cósmico a una velocidad mayor que la de la luz y por eso no son susceptibles de medición visual. De este inicio —el amanecer de un nuevo "día de Brahma", cuando las estrellas de la mañana cantan juntas y todos los hijos de Dios exclaman de júbilo— provino toda la creación física.

---

1. Aforismo cabalístico.

Por eso todas las cosas conscientes e inconscientes están relacionadas y comparten un origen común.

Vivimos en un planeta hermoso que es nuestro hogar o isla entre las estrellas. Es la habitación que el universo nos dio, en la que podemos crecer en nuestra forma única con la naturaleza de Dios. El planeta es un ser viviente, una entidad consciente con experiencias, sueños y un destino único propios. Es una entidad en evolución que crece y crece con relación al todo. Conforme un ser humano evoluciona, las relaciones de esa persona se vuelven más sofisticadas, más sutiles y cubren más de un nivel. Estas relaciones son físicas, emocionales, mentales y espirituales.

Sucede igual con el planeta; conforme crece entra en una relación más profunda con los otros planetas, con su Logos Solar (el ser espiritual que guía este sistema) y con otros soles y estrellas de ésta y otras galaxias. El planeta gira alrededor del Sol, éste, a su vez, orbita alrededor del centro estelar de esta galaxia (un punto cerca de la constelación de Virgo) y nuestra galaxia a su vez se mueve alrededor de algo más grande. Así que en ningún momento este sistema solar pasa por el mismo espacio físico que ya ha recorrido. En cada vuelta en espiral de este grandioso baile fluctúan las relaciones entre los diversos cuerpos celestes y crece la influencia de algunos y decrece la de otros. Estas energías son de proporción cósmica y entretejen una gran red de fuerza vibratoria, una red viva de luz donde se comunican los miembros sus vibraciones colectivas y forman la música de las esferas.

Algunas culturas han considerado a la Tierra como la "madre" —Gaia, Deméter, Mamá Tortuga. Pero algunas han concebido a la Tierra como el padre, como en el antiguo Egipto donde la Tierra era el dios masculino Geb (el consorte de Nut, la diosa de las estrellas). Quizá, en especial en este tiempo, la idea de la Madre Tierra nos es más real, lo cual no significa que otras concepciones sean incorrectas. Se trata sólo de hitos; la realidad que señalan es que la Tierra es un ser vivo, una entidad planetaria en la que como encarnaciones físicas del espíritu, vivimos, nos movemos y tenemos nuestro ser.

La Tierra tiene una inteligencia que la guía y funciona para el planeta de la misma manera en que la identidad superior lo hace para los humanos con cuerpo. Este guardián planetario es el arcángel Sandalfón, conocido en la tradición cabalística como el Príncipe de la Oración. Sandalfón sostiene el patrón del destino de la Tierra, su perfección completada. Cada ser vivo sobre la Tierra está profundamente ligado al arcángel Sandalfón. Invoca a este gran arcángel para ayudarte en tu andar por la Tierra, para ayudarte a encontrar tu razón de ser en la Tierra en este momento o para ayudar en tu desarrollo hacia ese destino de la mejor manera. También puedes invocar a Sandalfón para ayudar a cualquier ser que esté en dolor o sufrimiento; un animal herido, una planta o un paisaje.

Ver las noticias en la televisión es trastornante hasta que te das cuenta que por el solo hecho de que tu atención está enfocada en una noticia (una persona, lugar o situación) puedes ser un vínculo entre los que sufren y los ángeles. Invocar la ayuda de los ángeles para las personas que ves en la pantalla y los ángeles seguirán el rayo de tu atención a la persona o lugar. Los ángeles individuales con los que has trabajado están, incluso después, ligados contigo en forma especial. Puedes llamarlos con facilidad y encomendar a otras personas o situaciones a su socorro. Pero siempre ten la seguridad de anteceder tu petición con "si es la voluntad divina", así no pondrás tu voluntad en contra del trabajo de la Providencia y por ende, no sembrarás karma adverso que después se coseche.

Los Ángeles de la Naturaleza

Al servicio del planeta Tierra existen ejércitos de ángeles que supervisan el sustento del planeta, que transmiten el complejo rango de energía a todas las formas de vida. Estos ángeles de la naturaleza son llamados devas, un término en sánscrito que significa "seres brillantes". Ellos mantienen la red de vida interdependiente como existe aquí en este momento.

Los devas, los ángeles de la naturaleza, son regidos por el arcángel Haniel. "Haniel" significa "gracia de Dios" y "cara de Dios". En la sabiduría de la Cábala, Haniel representa la actividad divina por la que el Señor se convierte en multitud, por la que la unidad primaria se viste de un número infinito de seres que parecen estar separados. Así que en forma muy real, Haniel revela la visión, la conciencia de Dios manifiesta en la naturaleza. La función celestial de Haniel se expresa en la bendición aarónica, que invoca: "El señor hace que su cara brille sobre ti y te conceda la gracia". El arcángel Haniel preside el Rayo Verde, que es la forma de desarrollo para el místico de la naturaleza, el chamán, el cristiano celta, el druida y el wiccan. Con el propósito de comprender el carácter sagrado inherente de la naturaleza y de todas las cosas vivas, estos buscadores emprenden la búsqueda de la visión y ayunan en soledad durante días en la selva. "Si tienes el valor de caminar conmigo los caminos del bosque por la noche, te mostraré la cara misma de Dios".[2]

Los devas, al servicio del arcángel Haniel, dan alma a la naturaleza con su numen, con su sentido de lo divino. Nuestra percepción de la belleza inherente a la naturaleza (ver una cordillera majestuosa o un amanecer dorado en el mar, observar cada copo de nieve único en la ventana o un ciervo parado con

---

2. Peter Valentine Timlett, *The Twilight of the Serpent* (Londres: Corgi Books, 1977), p. 160.

serenidad en el claro de un bosque) y la experiencia del sentido intuitivo de asombro que nos toca es la respuesta de nuestra psique a los devas y a su trabajo.

Los Elementales, Hadas y Duendes

Los devas supervisan las actividades de los elementales, esas unidades de conciencia responsables de que la fuerza de vida fluya en toda la vida física. La tradición occidental da a estos seres nombres tomados de la historia europea y los clasifica de acuerdo con los cuatro elementos del saber: silfos, que son los duendes del aire; salamandras, que son las moradoras del fuego; ondinas, los espíritus del agua; y gnomos, los elementos de la tierra. Debido a esta clasificación, estos espíritus de la naturaleza en general se conocen como "elementales".

Los elementales en realidad *no* viven en el aire, fuego, agua o tierra físicos. No son seres físicos con cuerpo. Existen en la capa intermedia entre la materia física y el plano astral puro. Esta capa es el nivel etéreo. Por eso, los cuatro elementos se mencionan como "del saber" (esto es, aire del saber) para distinguirlos de los empleados por la ciencia moderna en la tabla periódica. Los elementales sostienen la misma relación con los ángeles que el ganado con los humanos. Eso no quiere decir que los ángeles tratan a los elementales como los humanos tratan al ganado, sino que el desarrollo evolutivo relativo es análogo entre los dos ejemplos. Un elemental puede, sin embargo, evolucionar en un ser angélico pues los elementales en realidad son una de las formas de vida más simples del reino angelical.

Las hadas son espíritus de la naturaleza relacionadas en alto nivel con el reino vegetal. Hacen reverencia al arcángel Haniel como el representante del Altísimo, como su rey, Oberón. Cada planta tiene un hada conectada que canaliza la energía solar, prana o chi, a la planta bajo su cuidado. A menudo aparecen como torbellinos de luz verde que gira. Una planta débil puede recibir ayuda al dirigir energía a su hada. Es interesante cómo el conocimiento subconsciente de la humanidad sobre el trabajo de las hadas surge en el arte y los dibujos animados, como *Fantasía*, de Walt Disney, que describe a hadas que atienden a las flores y que vuelan de botón en botón.

Los duendes son más complejos que los elementales. Consisten en dos o tres elementales. También residen en la capa etérea, justo entre la fisicalidad completa y el nivel astral de existencia. Los duendes, Sidhe, tienden a vivir en ciertos lugares, áreas de gran belleza natural y poder. A diferencia de los elementales y las hadas, los duendes no habitan en ciudades modernas y lugares de alta industrialización. No todos los duendes son benignos. Hay duendes malignos que no desean el bien humano. De hecho, incluso los buenos tienden a apartarse. Aún así, todos los duendes son criaturas de gran belleza; "qué hermosos son estos seres magníficos, que viven debajo de las colinas huecas". Y su belleza y encanto pueden descaminar fácilmente al incauto.

Los elementales, las hadas y los duendes no tienen alma. Viven durante enormes periodos, quizá tanto como la edad de este planeta, pero después de vivir su tiempo se disuelven en la materia primaria universal. No tienen existencia resonante en los mundos superiores del alma o el espíritu. Por eso desean más que nada adquirir un alma. Esto puede hacer que sea peligroso estar cerca de ellos. De hecho, lo mejor es dejarlo para quienes están entrenados por un maestro experimentado. Lo anterior proporciona la base para los cuentos de humanos hechizados por estos seres y después atrapados. Por ejemplo, decimos de aquellos que perdieron percepción de la realidad física, que se han "ido con las hadas". En el pasado había apareamientos ocasionales entre hadas y humanos. El infeliz resultado de tales uniones fue llamado "los niños del amanecer", en referencia al hecho de que las hadas han estado aquí desde la primavera de la Tierra, mucho antes de la llegada de la humanidad encarnada. En estos días, son raras estas situaciones, pero no desconocidas por completo. Dichos residentes invisibles de la naturaleza no tienen moralidad. No son malignos, pero son amorales, como un niño pequeño que al querer algo hace cualquier cosa para obtenerlo. Las relaciones con los elementales, las hadas o los duendes siempre son conducidas con sabiduría por los ángeles que supervisan.

El Trabajo de los Devas

La vida esencial de este planeta se origina desde su corazón solar, aquellas fuerzas titánicas que se sostienen en el centro fundido del globo. El planeta se originó del Sol y contiene esa fuerza solar en su núcleo. Toda la vida, como la conocemos, se sustenta en una fuerza que emana del corazón planetario. El centro del planeta es denominado, en enseñanza esotérica, el "laboratorio del Espíritu Santo". De ahí, la energía dadora de vida se dirige a todo el globo mediante canales especiales o rutas. Estos meridianos se discutieron en el capítulo 2 como conductos de energía etérea. Pero esas rutas también sirven como canales para la energía terrestre-solar que emana del centro planetario.

Los devas controlan lugares específicos de la superficie del planeta, lo que asegura el flujo suave de estas energías a través de los lugares que tienen a su cargo. Ellos reciben y distribuyen la energía que llega, agregan la contribución especial de sus propias vibraciones y pasan el flujo de energía por la red. Los devas rigen montañas y colinas, ríos, lagos y mares, bosques, planicies y campos. En realidad todo lugar tiene un deva específico. El conocimiento interior de ello elevó el impulso religioso temprano de la humanidad de honrar "dioses" específicos de las montañas, los árboles, los ríos, etcétera.

El deva de una montaña abarca la montaña entera dentro de su campo de energía, su aura. Cada piedra grande y cristal de roca, cada arbusto o árbol en la montaña está cubierto de la conciencia del ángel. El deva de la montaña también conoce y siente a cada animal y ave que mora en la montaña. El deva vigila a cada elemento terreno, a cada gnomo que hace de la montaña su matriz etérea. La sutil relación completa de la montaña con su ambiente, con la masa de tierra de la que es parte (el efecto de la montaña en la ruta del viento y la precipitación pluvial, su erosión y alimentación de valles por medio de ríos, su efecto mental y emocional sobre otras formas de vida) todo es parte del papel del deva rector.

Visto con los ojos del alma, observado con clarividencia, el deva de la montaña es una visión majestuosa.[3] Su "cuerpo" comienza en las profundidades, en la placa continental de la que la montaña emerge y se eleva cientos de metros arriba del pico físico más alto de la montaña. Por medio de los torbellinos radiadores de su cuerpo, el deva atrae energía del centro planetario para derramarla como una fuente viva sobre la montaña y cubrir así cada átomo de su estructura. La inmensa aura del deva

---

3. Ver en *Kingdom of the Gods*, de Geoffrey Hodson (Adyar, India; Theosophical Publising House, 1955) la descripción de devas retratados por la visión del señor Hodson.

abarca la montaña, a veces la excede hacia los lados como alas cuando la energía se dirige hacia afuera y otras hacia arriba como una torre de color y luz mientras la instrumentalidad del deva recibe la energía. La cabeza del deva en ocasiones se asemeja a una corona de rayos dorados que fluye y vibra y evoca a un vasto y radiante penacho de los nativos de América. Los colores del vehículo del deva y del aura varían según la energía concentrada en el momento, que puede ser solar, lunar o estacional (el deva de una montaña revestida de árboles o de un bosque es una vista asombrosa en primavera). Si alguna vez te has quedado en una villa o un pueblo al pie de una gran montaña sabrás lo fácil que es sintonizarse con la "presencia" de la montaña, cuya vasta calidad domina los alrededores. Esa presencia es el toque mental de un deva de la montaña de Dios.

Findhorn es una comunidad esotérica en el noroeste de Escocia, fundada por Eileen Caddy, que trabaja mucho con los devas. Al abrirse —con la aspiración de servir al Señor— a las influencias angélicas de la naturaleza, los humanos en Findhorn son capaces de recibir comunicación, enseñanza y consejo de los devas. La tierra en Findhorn no era propicia para el cultivo de plantas y semillas. La apertura de los humanos a la comunicación con los devas les dio un canal o conducto por el que los poderes angélicos podían pasar. Las energías combinadas de las conciencias de los humanos y los ángeles estimuló alteraciones moleculares en la composición de la tierra y ahora Findhorn cultiva su propia comida. Este conocimiento de cómo cooperar con los devas se tuvo en la antigüedad y de él surgieron diversas ceremonias religiosas de bendecir los campos y las semillas.

Un buen amigo que trabajó en Findhorn en sus inicios me dijo que una de las instrucciones que los devas dieron a sus compañeros humanos fue dejar un área específica de tierra sin cultivar en los huertos de vegetales. Esta área inculta daba a los devas un "punto firme", por así llamarlo, en los huertos a partir del cual irradiar sus energías dadoras de vida. Es interesante observar, en esta conexión, el incremento de jardines silvestres establecidos por hortelanos británicos; el propósito de éstos es proveer un hábitat natural para especies silvestres de flores, hierbas y mariposas.

Cualquier persona que tenga la fortuna de tener un jardín puede dejar una porción sin cultivar e invitar a los devas a usarla. La presencia invitada de los ángeles de la naturaleza es de gran ayuda para un jardín pero lo más importante es que puede ayudar a nuestros pueblos, a nuestras ciudades y a nosotros mismos. Con la creciente conciencia ecológica, de un estilo de vida "verde" y la interconexión de todas las formas de vida en nuestro planeta, los devas pueden enseñarnos mucho para hacer de la Tierra un paraíso, un jardín.

Los Señores de los Animales

Los seguidores de la forma chamánica del espíritu trabajan muy de cerca con la naturaleza como maestra. El chamán establece relaciones correctas con todas las formas de vida, conscientes e inconscientes en apariencia y co-opera con los devas, los ángeles de la naturaleza. El místico de la naturaleza busca la unión con lo divino mediante saber que el Señor está en la vestidura luminosa de la materia. La separación entre el Creador y la creación se desconoce. Como los mohawks, una nación nativa estadounidense entre la Confederación Iroquesa, dicen:

> Creemos que cuando el Misterio o Dios creó el universo puso su mano en todas las cosas, por lo que todo es espiritual. Según lo que sé, Dios nunca dijo a los mohawks que separáramos nada sino sólo que viéramos todo lo que hizo como santo y sagrado, y actuáramos con el respeto consecuente.[4]

Ya se ha hecho referencia en la introducción a aquellos ángeles que son la identidad superior de una especie animal completa. Estos ángeles —los poderes animales sagrados— son los protoanimales divinos; y para el chamán, la criatura tótem es el "rayo", la semejanza con la tierra por la que el ángel habla.

---

4. Proverbio mohawk.

Vimos en el capítulo 4 cómo los ángeles maestros usan a los animales para mostrar consentimiento ante nuestras peticiones. En los viajes chamánicos al sueño, las criaturas que se encuentran no son seres individuales sino la entidad colectiva, el ángel que es la consumación de todos los miembros de la especie. La enseñanza que el "soñador" recibe proviene de la identidad superior de la especie, basada en la entera experiencia de una especie que ha existido sobre la Tierra durante milenios. Pero esto no es todo; el ángel de la especie es en sí una encarnación de la "idea", el arquetipo de la especie que la mente divina sostiene. Así que el ángel es una forma de pensamiento del Logos creativo y encarna en sí mismo la máxima perfección de la especie que guía.

En su libro *Battalions of Heaven*, el reverendo G. Vale Owen escribe sobre un informe que le dio uno de sus amigos sin cuerpo. La comunicación describe a los ángeles que guían y dan alma a los reinos mineral, vegetal y animal, y da una descripción de estos seres:

> Hablo de las fuerzas impersonales que garantizan la cohesión de los minerales, de aquellos por los que la vegetación recibe la vida y de los que son guardianes de los animales de su clase. Las entidades minerales no eran muy conscientes en sí hasta que fueron atraídos por los grandes señores de la creación, cuyo campo era sostener al reino en sus confines. Pero las

entidades vegetales tenían una facultad formada y subjetiva de sensación con la cual responder a las fuerzas vertidas sobre ellos por sus propios rectores. Por eso el cambio de sustancia es de más rápida operación en el vegetal que en el mineral, lo cual es visible en el crecimiento... Las entidades animales, sin embargo, tenían sensación completa en sí mismas y también un poco de personalidad. Y sus señores eran muy espléndidos en su arreglo... No puedo describirte su aspecto porque no tienes punto de comparación en la Tierra, si bien es cierto que están muy ocupados entre ustedes. Me bastará con decir que así como veíamos a nuestros conocidos, el aspecto de él era el departamento de la naturaleza del que era rector. Ya fuera la atmósfera, el oro, el roble o el tigre, su dominio estaba expresado en él por completo y en toda su belleza. La forma y la sustancia de su cuerpo, contenido, indumentaria, todo era expresión de su reino. Algunos tenían indumentaria, algunos no. Pero la grandeza de estos grandes señores es majestuosa en fuerza y donaire. Todos tenían su comitiva ordenada por rangos. Estaban a cargo de las subdivisiones de sus reinos y vinculaban a sus señores con los animales o fuerzas que controlaban.[5]

5. Reverendo G. Vale Owen, *The Battalions of Heaven*, (Londres: Greater World Association, 1959), pp. 151-152

Vemos este conocimiento oculto expresado en el salmo que dice: "Del Señor es la tierra y lo que tiene..." (Salmo 24:1). Pero el conocimiento de los devas y su trabajo no debe impulsar la creencia panteísta de que el universo y Dios son idénticos. El Señor no es idéntico a la creación pues ella depende de él de una manera en la que él no depende de la creación. La filosofía esotérica es más bien panenteísta, afirma la belleza creada de la naturaleza y reconoce la presencia divina en ella y no deja de considerar la cualidad misteriosa de Dios. En las palabras de una invocación ceremonial: "Santo eres tú, a quien la naturaleza no ha creado... Señor de la luz y de la oscuridad".

El panenteísmo no deifica a la naturaleza pero sí reconoce su santidad. En la Cábala, esta santidad se denomina Shekinah, la gloria co-habitante, la Inmanencia divina. Por eso *El Zohar* se refiere al Señor como "oculto entre los ocultos"[6] pues ¿qué hay más escondido que el centro de todo ser? Pero el Señor también es trascendente, es el todo, la nada, lo absoluto. Sabiamente, San Pablo describió a Dios como "...que está por encima de todos, y que actúa por todo y en todos" (Efesios 4:6) pues Dios es y no es, ése es el misterio del Santísimo.

---

6. Hay muchas versiones de *The Zohar*. La que yo uso está publicada por Schocken Books (Nueva York) y está editada por Gershom Scholem.

Ejercicio 5

La Curación de Logres

Hay muchas áreas en el planeta donde la tierra fue devastada y dejada con una atmósfera de impotencia, donde está ausente la espiritualidad. En dichos lugares se expulsó al espíritu de la tierra; la monotonía y la desolación son el resultado. En la mayoría de ellos es producto de la codicia humana surgida de la ignorancia sobre la unidad esencial y la superabundancia del universo. Como resultado, la conexión de la tierra con la red de existencia canalizadora de vida está mermada y dañada. Así como cuando los seres humanos sufren un choque profundo o trauma se deprimen y pierden poder, lo mismo sucede con la tierra. Aunque los seres planetarios comienzan el proceso de saneamiento en dichos lugares, la continua destrucción de la Tierra tiene consecuencias de largo alcance que apenas empezamos a comprender.

Este ejercicio es un trabajo ritual para un individuo o grupo, se basa en la intención de curar a la tierra. Es la adaptación de un trabajo similar que algunos lamas tibetanos han realizado en Estados Unidos. He trabajado en ello con un grupo de personas (de diversas tradiciones espirituales) unidas por la preocupación sobre la Tierra y sus hijos. El trabajo es una invocación de los devas de la naturaleza para curar las conexiones del área enferma de la tierra de manera que la energía dadora de vida fluya por ella.

En el mito del rey Arturo esta condición de un lugar carente de espíritu está representada por la "tierra de desperdicio". El mito cuenta sobre la tierra de Logres que cayó en un encanto maligno debido a que su conexión con el espíritu dador de vida se rompió. En respuesta a este aprieto, los caballeros de la Mesa Redonda se dieron a la búsqueda del Grial, la Copa (contenedor) de Vida, para restaurar la armonía de la tierra y su pueblo con la totalidad.

El símbolo del grial tiene muchas manifestaciones, una de las cuales es la caldera del renacimiento, sagrada para la diosa celta Cerwiddwen. El grial, por ende, tiene el poder de regeneración y resurrección. En esta ceremonia, una maceta biodegradable se usa para representar el grial. Se llena con sustancias poderosas como tierra de sitios sagrados, piedras y cristales magnéticos, hierbas curativas y agua bendita. Este ritual se lleva a cabo en un espacio sagrado. El "grial" se llena con las sustancias sagradas, llenas de poder por la presencia de los devas invocados, y después se quema en la tierra enferma para empezar el trabajo de "la curación de Logres".

No es una receta precisa para un ritual "fuerte y rápido". Mucha de su potencia estriba en tu propia inventiva y creatividad. También varía de acuerdo con la necesidad del área de tierra en la que se enfoca; si es montañosa o plana, si hay un río cercano, si está cerca de un poblado o si es un sitio urbano. Todos estos factores deben tomarse en cuenta pues son indicadores de las necesidades de esa área de tierra y de qué poderes dévicos deben invocarse para recibir ayuda.

Primero recolecta en el "grial" las sustancias sagradas como tierra o piedras pequeñas de sitios sagrados, piedras o cristales semipreciosos que hayas magnetizado, hierbas que purifiquen (la salvia o el cedro son buenas), espigas de trigo, cebada o maíz (que expresan nutrición y crecimiento futuros), unas gotas de agua de un manantial sagrado o agua que se haya bendecido. No es la cantidad lo que importa, sino la calidad. Si el área que se va a curar es parte de un reino, una imagen del soberano (en una moneda o estampa) tiene potencia porque el monarca está ligado a la tierra en un nivel mágico. Una imagen del santo patrono del país, una representación del ángel nacional o la criatura simbólica del lugar (como el león de Inglaterra, el unicornio de Escocia, el águila estadounidense) son arquetipos poderosos que evocan una respuesta del inconsciente colectivo. Cualquier cosa que hable simbólicamente de la vida más general del lugar, de hecho cualquier cosa que refuerce la idea de la conectividad planetaria es efectiva.

Elige un momento de buen agüero para el trabajo; el solsticio de verano o invierno, o la Luna llena. Algunos festivales religiosos importantes contribuyen con su parte de energía para tal trabajo. Por ejemplo, la Pascua Florida, con la influencia de la Luna pascual y su motivo de resurrección, o la Candelaria, la purificación de Nuestra Señora (2 de febrero), con su simbolismo druídico del "lavado de la cara de la Tierra" son momentos propicios.

Una vez purificado tú y todas las cosas relacionadas con el trabajo coloca la maceta que representa el "grial" en el centro del espacio sagrado. Cuando se hayan encendido la lámpara y las velas, entra en tu centro de ser, con conciencia del Señor que es la vida de los mundos. Desde este punto declara tu intención con claridad:

En el nombre de Dios e invocando la ayuda de los santos arcángeles Sandalfón y Haniel pedimos los poderes creativos para dar fuerza a esta vasija, colocada en el centro de este círculo sagrado. Llénala, te rogamos, con la gracia de la vida para que fluya en la tierra de (nombre específico del área de la tierra que se ha de curar) y que la abundancia del Paraíso se ponga de manifiesto en la Tierra.

Ahora invoca a los arcángeles de la presencia en los cuatro puntos para que acojan la esfera en la que estás trabajando.

Al este:

Rafael, portador del báculo del Santísimo, sirviente del altar de vida, te llamamos. Ven al este, cantador de alabanzas del Eterno, y colma este lugar con el aliento de vida y los poderes de la luz. Rafael, "curación de Dios", consagra esta vasija y fortalece su trabajo para que sea una copa de bálsamo curativo.

Al sur:

Miguel, portador de la espada del Santísimo, sirviente del altar de vida, te llamamos. Ven al sur, ángel de los rayos solares, y colma este lugar con el fuego de la creación y los poderes del amor. Miguel, "perfección de Dios", consagra esta vasija o fortalece su trabajo para que sea una lámpara del Sol para iluminar la tierra.

Al oeste:

Gabriel, portador de la copa del Santísimo, sirviente del altar de vida, te llamamos. Ven al oeste, ángel de la palabra, y colma este lugar con las aguas de la gracia y los poderes de vida. Gabriel, "Dios es poderoso", consagra esta vasija y fortalece su trabajo para que sea cáliz derramador del rocío del Cielo.

Al norte:

Uriel, portador de la charola del Santísimo, sirviente del altar de vida, te llamamos. Ven al norte, ángel del trono, y colma este lugar con la estabilidad de la Tierra y los poderes de la ley. Uriel, "Luz de Dios", consagra esta vasija y fortalece su trabajo para que sea piedra de altar que lleve las ofrendas de la Tierra de flores y fruta.

Ahora los objetos de poder deben colocarse dentro del "grial" y decirse una oración apropiada con cada artículo. Si es un grupo el que trabaja, entonces los diferentes individuos pueden colocar los diversos objetos en la vasija en su turno, diciendo:

Que este (nombre del objeto y del sitio sagrado de origen. En caso de representación, menciona el poder que simboliza) **tome su lugar dentro del grial de la Tierra y traiga sanidad, curación y abundancia a la tierra de** *(nombre del lugar).* **Oh, poder sagrado, ayuda y cura.**

Todos los presentes repiten:

Poder sagrado, ayuda y cura.

Cuando todos los artículos se hayan colocado en el recipiente invoca a los devas para recibir su ayuda:

Los llamamos a ustedes, devas de la Tierra. Ministros de la naturaleza, los convocamos. Oh seres a quienes el arte dio trono sobre las montañas, que se mecen sobre los mares, que cabalgan en las tormentas y que corren por las venas de la Tierra, oigan el llamado de los hijos de Adán, de las hijas de Eva, y ayúdennos en nuestro trabajo. Viertan su esencia dadora de vida en esta vasija, cólmenla del fuego esmeralda, soplen los vientos dentro de ella y enciéndanla con la flama de la vida. Que el lugar donde esta copa esté enterrada se convierta en un lugar de belleza, un hogar de la paz, un jardín, donde todos caminen en la presencia del Eterno.

Ahora se puede dedicar un tiempo a dirigir energía adicional para dar más poder a la vasija. Cantar y bailar son actividades adecuadas pues son de celebración y de mejoramiento de vida. Cantar, hacer sonidos y tocar instrumentos de percusión, como un tambor o un tazón para cantar tibetano, son excelentes formas de profundizar la concentración. Cuando sientas que es el momento correcto pon las manos sobre el "grial" y con profunda humildad ("humus" significa "de la Tierra") y confianza, intercede ante el Divino por la tierra:

Oh Señor Omnipresente, artista del gran misterio, te llamamos para que nos acojas en tus sagradas manos. Ayúdanos a caminar entre la belleza mientras cantamos tu canción florida sobre la Tierra. Permanece con nosotros en los vientos y en las aguas, en las flamas fulgurantes y en el refugio de la Tierra. Quédate a nuestro lado ante las vueltas del Sol y de la Luna, en el baile en la nación de la gran estrella y en el fantástico reino del crepúsculo.

Deja que tu árbol de vida estire sus fuertes ramas y que los seres alados se refugien ahí; deja que los retoños fragantes y las manzanas doradas de la sabiduría maduren con dulzura, que todos los seres conozcan la paz y vivan en tu gran círculo en unidad.

Sella el "grial" con el signo de la cruz con un círculo (una cruz griega con un círculo que une los brazos), el símbolo de la actividad equilibrada de los cuatro elementos, con el punto de espíritu en el centro.

Para terminar, de parte de toda la humanidad, entrega la vasija consagrada al planeta con las palabras:

Madre Tierra, recibe nuestro regalo de amor para ti. Que sea de ayuda para revitalizar tu cuerpo que es la tierra de (nombre del lugar). Oh Kallah, novia de Adonaí, recibe esta copa de amor en señal de tu unión con el Cielo. Paz, paz, paz.

Cubre el "grial" para mantenerlo seguro. Agradece a todos los poderes que vinieron a contribuir en este esfuerzo y pídeles, "Vayan en paz a sus propios reinos, con la bendición de Adonaí".

Tan pronto como sea posible, el "grial" debe llevarse al lugar para el que se ha hecho. Excava un hoyo en un lugar secreto, esparce un poco de lavanda en el hoyo, con suavidad coloca el "grial" y cúbrelo con la buena tierra. Puedes repetir la oración a la Tierra:

Madre Tierra, recibe nuestro regalo de amor para ti, etcétera.

No hagas marcas en el lugar, deja que el trabajo permanezca "oculto", escondido.

Capítulo 6

Talismanes de Poder

...pues tú fuiste un refugio para mí
y me alegré a la sombra de tus alas...[1]

En cada Luna nueva, cada practicante de esta magia angélica debe entrar en su espacio sagrado y estar en comunión con el Señor (el ejercicio 8, Templo del Corazón, será útil). Entonces, por medio del arcángel Gabriel y en la presencia de los ángeles personales del Sol y de la Luna, haz esta invocación a los poderes divinos:

> *Dedico mi trabajo con la sagrada magia de los ángeles, en este nuevo ciclo de la Luna nueva, a la gloria de Saddai-El-Chai. Que esta magia florezca para el mayor bien, para mi beneficio y el de toda la creación.*

---

1. Salmos 63:8.

La Corona de Resplandor

Este rito se realiza en domingo, de preferencia durante las horas de luz solar. Esta magia sagrada opera por la mediación del arcángel Miguel y los signos de poder usados en el talismán son los símbolos solares del arcángel. El propósito de este trabajo es coronar cualquier empresa con éxito, ayudarte a producir mayor abundancia y mejoramiento en tu vida. Este talismán es muy efectivo en asuntos que involucran la ayuda de personas con autoridad, de administración o del gobierno. Esta magia solar se usa para ayudar en cualquier asunto en el que puedas ganar por medio de tus propios esfuerzos; por ejemplo, ser ascendido porque tus jefes reconozcan tu valor. El trabajo del ritual debe repetirse cada domingo hasta que alcances tu meta.

Para este trabajo necesitas una vela anaranjada o dorada, una hoja cuadrada de papel amarillo, una regla, un compás, una pluma anaranjada o dorada y un poco de incienso (el incienso de iglesia es el mejor para estos trabajos angélicos).

Cuando estés listo para empezar toma la vela sin prender y dedícala a tu intención con la siguiente invocación:

Con el permiso divino y en nombre del arcángel Mi-ka-el, ángel del Sol, traigo fuego a la Tierra para que el poder solar aumente mis propias energías dirigidas para tener éxito en la siguiente petición (expresa tu intención con sencillez).

Ahora enciende la vela. Sobre el cuadro de papel escribe tu petición en tinta anaranjada o dorada, en *Escritura Paso del Río*. Enciende el incienso y cuando esté humeante, pasa la vela encendida tres veces a través del humo. Después pasa el papel sobre el que has escrito tu petición a través del fragante humo.

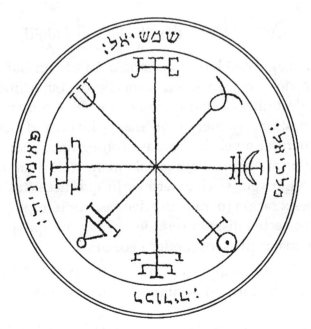

Ilustración 12. La Corona de Resplandor.

Ahora, en el reverso del papel amarillo, dibuja el talismán de poder como se muestra en la ilustración 12. Encárgate de trazar el círculo primero y después las palabras y los símbolos en la dirección de las manecillas del reloj.[2] Las palabras hebreas del círculo son los nombres de cuatro ángeles: Shemeshiel, Paimoniah, Rekhodiah y Malkhiel. Dobla el talismán terminado en un triángulo. Apaga la vela. Lleva contigo el talismán solar; si es necesario, renuévalo el siguiente domingo hasta que tu petición se manifieste en el nivel físico.

Cómo Llevar Bendiciones al Hogar

Esta magia está bajo la rectoría del arcángel Gabriel. Sólo debe realizarse en la noche de Luna nueva. Puede utilizarse para obtener muebles o aparatos domésticos. Recuerda, en magia invocas el objeto requerido, no el dinero para conseguirlo, ¿por qué limitar al universo a una sola manera de ayudarte? Sin embargo, si el dinero es lo que necesitas con desesperación (para pagar deudas, por ejemplo), entonces este talismán será de ayuda para que ganes dinero o recibas los fondos necesarios.

El talismán es el cuadro lunar de Gabriel. Está formado del símbolo del la Luna creciente,

---

2. Este talismán también aparece en *The Great Key of Solomon*, un libro medieval de magia malinterpretado como un pentáculo solar.

intercalado con los números del ciclo solar. La vibración de las mareas crecientes y decrecientes de la Luna, sus cuatro cuartos están entrelazados en la potencia de este talismán.

7	☽	14	☽	21	☽	28
☽	14	☽	21	☽	28	☽
7	☽	14	☽	21	☽	28
☽	14	☽	21	☽	28	☽

Ilustración 13. Cómo Llevar Bendiciones al Hogar.

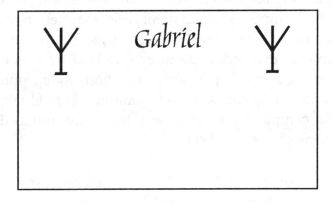

Ilustración 14. Cómo Llevar Bendiciones al Hogar (cara posterior).

Para hacer esta magia necesitas una vela blanca, una regla, una pluma de tinta azul o plateada, incienso y un cuadro de papel blanco. Cuando estés listo procede de la siguiente manera:

En la primera noche de Luna nueva enciende la vela blanca y el incienso. Consagra la vela al pasarla cuatro veces (una por cada fase de la Luna) a través del humo sagrado. Traza la cuadrícula del talismán en el papel blanco, cuatro líneas horizontales por siete líneas verticales. Ahora dibuja los símbolos en los recuadros de la cuadrícula, empieza por arriba, de izquierda a derecha, haz lo mismo con la segunda, tercera y cuarta línea, con lo que está completo el talismán (ver ilustración 13).

Al reverso del talismán dibuja el signo de invocación (el tridente mostrado en la ilustración 14) que representa las fases nueva, llena y decreciente de la Luna. Después escribe el nombre de "Gabriel", transliterado a la *Escritura Paso del Río*, seguido por el signo de invocación de nuevo. Debajo, escribe en *Escritura Tebana* la petición en cuestión, por ejemplo: "camas" o "cortinas" o "refrigerador". Pasa el talismán completo y la petición a través del humo de incienso, mientras dices:

Gran arcángel Gabriel, auxíliame en este asunto que riges bajo el Todopoderoso.

Apaga la vela.

El talismán debe conservarse en el cuarto donde se hizo la invocación hasta la siguiente Luna nueva, puede esconderse si es necesario. Si el objeto deseado no ha aparecido para la siguiente Luna nueva quema el talismán y realiza el ritual una vez más.

La Lámpara del Descubrimiento

Esta magia revela la verdad sobre cualquier situación, persona o información recibida. Por ejemplo, si escuchas un rumor que se está difundiendo y que te daña o a tu buena posición, este ritual te revela en una forma muy natural la verdad de quién originó el rumor y con qué fin. Conseguirás evidencia que revele los hechos con claridad.

Esta magia es regida por Asariel, el arcángel de Neptuno, el planeta del psiquismo y los sentidos ocultos. Se realiza cualquier día de la semana y sólo necesita hacerse una vez, aunque sólo puede abordarse un asunto a la vez.

Necesitas una vela blanca, una vela negra (o una vela blanca con un listón negro o una cubierta, aunque es mejor una vela negra), una regla, una pluma de tinta negra, incienso y un recuadro de papel blanco. Para realizar la magia coloca las velas en línea con una distancia de 20 centímetros más o menos entre cada una. La vela blanca representa la verdad, la vela negra simboliza la falsedad y la mentira. Empieza diciendo:

Luz de la oscuridad de la duda.

Enciende la vela blanca e invoca:

Que Asariel, revelador de misterios, envíe la luz de la verdad a este asunto de ignorancia para que lo perciba como el Ojo del Cielo.

4	9	3	6	5
9	9	1	7	6
3	1	4	1	3
6	7	1	9	9
5	6	3	9	4

Ilustración 15. La Lámpara del Descubrimiento.

En el papel, con tinta negra, dibuja la cuadrícula como se muestra en la ilustración 15. Después, de izquierda a derecha escribe los números y llena las filas en orden descendente. Los números del cuadro se refieren a las cartas del tarot: 9, el ermitaño; 1, el mago; 7, el carro; 6, los enamorados; 3, la emperatriz; 4, el emperador; y 5, el sumo sacerdote. Esta magia puede entrelazarse con las cartas, pero es demasiado avanzado para los propósitos de este libro.

Después de completar el recuadro pásalo una vez por el humo del incienso. Al reverso de éste, escribe en *Escritura Paso del Río*, "Asariel, revela". Ahora, mientras mantienes en la mente el asunto sobre el que deseas saber la verdad enciende la vela negra y permite que se consuma por completo.

Conserva el cuadro hasta que el problema se resuelva, después libera los poderes invocados con agradecimiento y quema el cuadro.

Ritual para Obtener Justicia o Incremento Financiero

Esta magia funciona con la agencia del ángel Sachiel de Júpiter y se lleva a cabo en su día sagrado, el jueves. Se usa para invocar ayuda en asuntos legales donde contribuye a producir un veredicto justo y ayuda con los costos del problema. La justicia es en proporción a la rectitud de tu caso; en otras palabras, justicia divina.

Este talismán también se utiliza para conseguir un incremento monetario. No puede usarse para dos intenciones al mismo tiempo.

Necesitas una vela morada, una regla, un compás, una pluma de tinta morada o azul, incienso y un cuadro de papel blanco o lavanda. Enciende la vela y el incienso, después invoca:

Gran Ángel Sachiel, sirviente del Señor, conforme esta luz se consume y esta fragancia de incienso asciende, que mi petición suba a ti, Oh Sachiel.

Ilustración 16. Ritual para Obtener Justicia o Incremento Financiero.

Primero dibuja el círculo externo y luego el interno, como se muestra en la ilustración 16. Después coloca la estrella del amor en la parte superior seguida de tres nombres hebreos en el arco izquierdo. Después dibuja la línea horizontal y los símbolos, despúes la vertical, luego la diagonal que va de la parte superior izquierda a la parte inferior derecha y para terminar, la diagonal que va de la parte superior derecha a la parte inferior izquierda.

Al reverso del papel escribe el nombre "Sachiel" con *Escritura Tebana*.[3]

Si el trabajo es por justicia, dobla el talismán alrededor de una pluma —la pluma representa a Ma'at, la diosa egipcia de la verdad y la justicia– y consérvalo en la funda de tu almohada o debajo de tu colchón.

Si la intención es un incremento monetario envuelve el talismán alrededor de una moneda de plata u oro[4] y consérvala en tu billetera o bolsa.

Deja que la vela morada se consuma.

Este trabajo debe repetirse cada jueves subsecuente, quema el talismán elaborado la semana anterior.

No obstante, si observas progreso puedes considerarlo como un indicador de que la magia ha comenzado a operar, en cuyo caso, debes conservar el talismán ya hecho hasta que la intención se logre.

---

3. Este sello también aparece en *The Great Key of Solomon* como un pentáculo de Júpiter; el hebreo es el séptimo versículo del salmo 113: "...levanta al miserable, de la mugre retira al desvalido..."

4. Una libra esterlina de oro o un dólar de oro son un apoyo útil y mágico en trabajos para la abundancia monetaria.

Escudo del Ángel Guerrero

Este trabajo talismánico invoca la ayuda del gran ángel protector, Samael de Marte. Está diseñado para derrotar enemigos, conocidos o desconocidos, protegerse de enemigos y salir victorioso ante ellos. Sin embargo, necesitamos ser muy claros sobre lo que se entiende por enemigo. Un enemigo no debe confundirse con un rival. Un rival es una persona que nos estimula a sobresalir, la dureza necesaria de cuya irritación está formada la perla. Un rival ayuda a desarrollar nuestras fortalezas y reconocer nuestros talentos. Los enemigos se deben vencer. Son personas que nos hacen menos o que nos dañan de manera deliberada. Para distinguir si una persona es un enemigo o un rival usa el siguiente criterio: ¿esta persona me daña a mí o a los míos, o son sólo mis sentimientos los que resultan lastimados?

El Escudo del Ángel Guerrero protege de enemigos anónimos o conocidos. Los ángeles, que detestan la violencia, quitan el poder a los pensamientos, palabras y acciones del enemigo; el enemigo reforma sus intenciones hacia nosotros o es retirado de nuestra vida.

Sin embargo, para invocar al ángel Samael por medio de su talismán, quien pide debe detener toda venganza en contra del enemigo. Obviamente, tenemos el derecho de actuar en defensa propia y de decir la verdad; pero no debemos responder al odio con odio. La razón por la que el ángel accede a protegernos y ayudarnos es para liberarnos de la mancha del odio para que nos mantengamos limpios y no llevemos sombras malignas.

M	E	B	H	A	E	R
E	L	I	A	I	L	E
B	I	K	O	S	I	A
H	A	O	R	O	A	H
A	I	S	O	K	I	B
E	L	I	A	I	L	E
R	E	A	H	B	E	M

Ilustración 17. Escudo del Ángel Guerrero.

El trabajo sólo se realiza en martes. Necesitas una vela roja, un vaso de agua, una pluma de tinta roja, una regla y una cuadro de papel blanco.

Enciende la vela y traza la cuadrícula del talismán, cambia las letras del alfabeto romano a la *Escritura Paso del Río*, escribe de izquierda a derecha y en sentido descendente (ver ilustración 17). Justo después de terminar de escribir sumerge la vela en el agua, lo que la apaga por completo. Conserva el talismán cerca del centro de calor como el boiler, radiador, horno o chimenea.

Este talismán también aparece como el undécimo cuadro del sistema de magia Abra-Melin[5] donde se usa "para conocer a los amigos falsos y verdaderos". Cuando tengas prueba de que el ángel está tratando con tu enemigo quema el talismán el siguiente martes.

Espejo de la Mente

Este trabajo produce fluidez de pensamiento, palabra o escritura. Mejora las facultades mentales de concentración y retención de datos. Se usa en la preparación de exámenes, pero debe iniciarse antes del estudio y revisión, no el día antes de una prueba. También ayuda a una escritura y oratoria creativas. El ángel invocado de esta magia, Rafael de Mercurio, "pule" la conciencia, lo que ayuda a desarrollar tu mentalidad. El trabajo se realiza en miércoles y se repite cada miércoles subsecuente hasta que se logra la pericia.

---

5. Un sistema avanzado de teúrgia (magia sagrada) cuya meta principal es habilitar al practicante a alcanzar "conocimiento y conversación con el Santo Ángel Guardián", con la identidad superior (ver *The Sacred Magic of Abra-Melin the Mage*, editada por S. L. MacGregor-Mathers [Londres: Aquarian Press, 1986]). Al completar esto con éxito, el nuevo adepto "redime" los aspectos no integrados de su inconsciente, yendo hacia atrás en la cadena de encarnaciones.

La magia requiere un cuadro de papel amarillo, una regla y una pluma de tinta negra. No hay ritual, velas, invocaciones habladas ni incienso. Sólo se dibuja el cuadro cada miércoles y se conserva dentro de la funda de tu almohada o debajo del colchón (ver ilustración 18). Al tomar un examen, sin embargo, debes llevar el cuadro contigo pero encuentra un lugar privado justo antes del examen para tocar el talismán con la frente, de preferencia sin que nadie te vea.

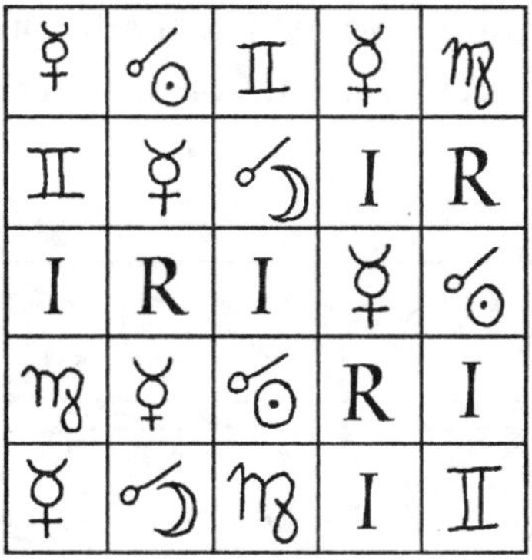

Ilustración 18. Espejo de la Mente.

El Rayo

Es un trabajo de gran fuerza mágica muy poderoso y efectivo. Sin embargo, la gente que no está preparada para grandes acontecimientos en la vida no debe usarlo. Este trabajo retira obstáculos no deseados de la vida en formas repentinas e inesperadas. Tan devastador es el trabajo que no debe usarse más de una vez al año.

El trabajo retira obstáculos que te impiden disfrutar la felicidad y la vida. Puesto que el rayo a menudo desintegra el obstáculo, nunca debe usarse contra seres vivos, ni para retirar la enfermedad o la pobreza, ni para influir sobre los seres queridos. El trabajo está bajo la regencia del arcángel Uriel, que es un ángel del trono del más alto grado y cuyas maneras son dramáticas y devastadoras. Si este trabajo se usa mal, el poder invocado puede voltearse en tu contra pues el arcángel no permitirá ninguna injusticia.

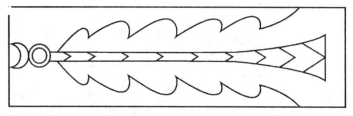

Ilustración 19. El Rayo.

Para usar este trabajo, la intención debe ser eliminar una carga que está arruinando tu vida. La carga debe ser una que no hayas aceptado por voluntad propia, sino una que se te impuso. También debes estar preparado para aceptar los cambios y las consecuencias que esta magia ocasione.

El método es sencillo en extremo porque el símbolo que se usa también es muy potente —el relámpago que se dibuja en la decimosexta carta del tarot, la "torre demolida". La tradición dice que el arcángel Uriel fue enviado a destruir Atlantis y a su pueblo para poner fin a sus malvados abusos de la magia y la ciencia.

Este trabajo se debe hacer en sábado, necesitas una hoja de papel negro, un pedazo de gis blanco y ¡una conciencia limpia! Empieza por nombrar verbalmente el obstáculo que deseas que se retire y entonces expresa esta invocación:

Uriel, luz de Dios y ángel de fuerza mágica, retira de mi camino (nombre del obstáculo de nuevo) que me daña injustamente.

Si en este punto tienes la intuición de detenerte, no procedas con el trabajo. Cualquier reserva que sientas es una indicación del arcángel Uriel para que no sigas adelante.

Si todo está bien, escribe tu solicitud en la *Escritura Paso del Río* con el gis blanco sobre el papel negro. Después al reverso dibuja el símbolo del rayo y escribe el nombre "Uriel" en la misma escritura (ver ilustración 19). Tan pronto como hayas completado el talismán, dóblalo en un cuadrado y entiérralo de inmediato ya sea en un páramo o en tierra común.

La Rueda de Haniel

Este trabajo está bajo los auspicios del arcángel Haniel de Venus. Su propósito es incrementar el amor y profundizar el afecto entre amigos, parejas o familiares. Es potente para curar desavenencias o separación entre los seres queridos al restaurar la armonía en amistades fallidas y unir parientes que han discutido. No importa qué dolor o herida los seres queridos hayan causado a otro, si la chispa del afecto aún existe, Haniel lo aviva y lo convierte en una flama poderosa. El "amor", como se usa en el sentido romántico, es como una orquídea cultivada en invernadero, es decir, requiere de condiciones apropiadas para florecer. La rueda de Haniel genera las condiciones necesarias para que el amor florezca.

Este trabajo no fuerza el amor de otra persona si no existe un afecto inicial, la rueda no puede usarse para forzar el amor de otro. Hay magias oscuras que imponen la ilusión del amor por medio de compulsión y hechizo, pero dichos métodos terminan en cenizas pues quien pone en práctica magias de ese tipo sabe que la persona deseada no entra en la relación por su propia voluntad. El amor, para ser real, debe darse con libertad y honor; se debe preferir el mayor bien para la persona amada sobre la gratificación personal.

Puesto que los resultados de este trabajo se manifiestan en un periodo de seis semanas, la rueda de

Haniel se usa para indagar si la persona se convertirá en un ser "querido" o no. Si te sientes atraído a alguien, pero inseguro de si tus sentimientos son correspondidos, invoca a Haniel a través de la Rueda y si al final de las seis semanas no hay indicaciones del crecimiento del afecto, entonces sabrás que la relación no tiene futuro. Agradece y sigue adelante. Si se manifiesta afecto, la rueda seguirá impulsando su crecimiento y maduración.

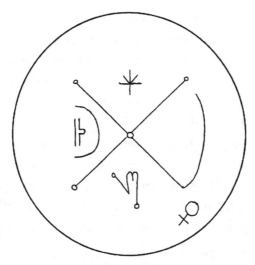

Ilustración 20. La Rueda de Haniel.

Para llevar a cabo el ritual de la rueda de Haniel necesitas tres velas rosas, tres velas azul pálido, una barra de cera selladora roja, una incienso de Venus (sugiero que sólo agregues aceite de rosa al incienso eclesiástico estándar), un pedazo de 15 centímetros de tarjeta (no papel) rosa o azul pálido, compás, una regla, una pluma de tinta roja y una rosa natural. Todos los artículos se usan para el ritual los seis viernes, salvo la rosa pues debe comprarse una fresca cada vez.

Para preparar un altar para el ritual de la rueda enciende las seis velas y el incienso. Ahora escribe el nombre "Anael" en *Escritura Paso del Río* con tinta roja en las cuatro esquinas de la tarjeta. Después pásala por el fragante incienso de manera que las palabras escritas queden por un momento sobre el incienso y reciban su influencia. Una vez perfumadas las cuatro esquinas de la tarjeta dibuja los signos de poder que constituyen la rueda de Haniel en el centro, como se muestra en la ilustración 20.

Al reverso de la tarjeta, en *Escritura Paso del Río*, escribe el nombre de la persona cuyo afecto deseas recibir. Enrolla el talismán terminado de izquierda a derecha, en forma de cilindro (un tubo) y séllalo a lo largo con seis sellos, usa para ello la cera roja.

Ahora apaga las seis velas, mientras expresas esta invocación al extinguir cada una:

En el nombre de Anael, que la Rueda gire.

Deja que el incienso se consuma como una ofrenda al arcángel y coloca la rueda bajo tu colchón.

En los siguientes cinco viernes, con una rosa fresca prepara el altar como la primera vez. Enciende las velas y el incienso. Rompe los sellos de la rueda y extiéndela. Perfuma las cuatro esquinas de la rueda como hiciste antes. Enróllala de nuevo, de izquierda a derecha, y séllala con seis sellos. Apaga las velas, mientras dices la invocación con cada una, y regresa la rueda a su lugar bajo tu colchón. El ritual debe hacerse durante seis viernes consecutivos. Si por alguna razón se rompiera la constancia, el trabajo completo debe reiniciarse.

Si para el sexto viernes no ha habido señales de aumento de afecto de la persona por la que estás trabajando, entonces la rueda debe quemarse en su totalidad. Si el afecto ha crecido de manera perceptible, entonces después del sexto trabajo, rompe la rueda en pequeños fragmentos y espárcelos en el viento de la noche.

La Carta de Lumiel para la Protección de la Vida

Es una protección angélica que se extiende a todos los niveles dentro de los límites de la ley del karma. Protege al alma del miedo y el desánimo, protege a la mente del daño y protege al cuerpo de heridas y degeneración de la salud. El cuadro es sagrado para el ángel Lumiel, uno de los ángeles del planeta Tierra.

El poseedor de este cuadro está protegido de daño en los tres niveles de cuerpo, mente y alma.

El cuadro se hace de cartón blanco grueso, pues, ¡tiene que durar toda la vida! Debe construirse en el día sagrado de tu ángel solar o lunar; si lo haces para alguien más, entonces hazlo en el día de su o sus ángeles. No hay ritual hecho con este trabajo ya que el dibujo y coloreado de los símbolos del cuadro le dan poder.

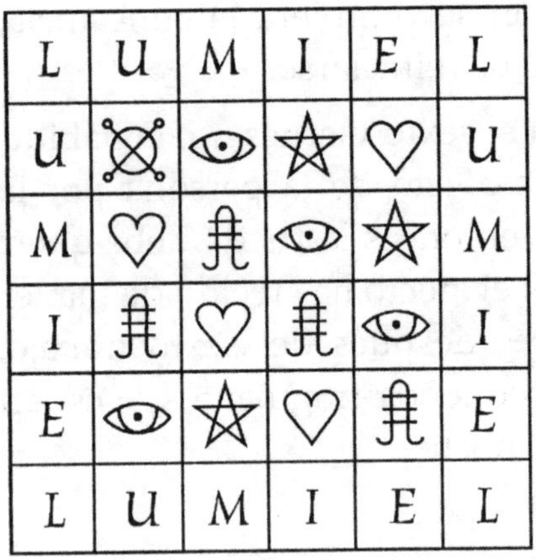

L	U	M	I	E	L
U	⊗	◉	☆	♡	U
M	♡	ꝏ	◉	☆	M
I	ꝏ	♡	ꝏ	◉	I
E	◉	☆	♡	ꝏ	E
L	U	M	I	E	L

Ilustración 21. Protección de Cuerpo, Mente y Alma.

La cuadrícula se dibuja con tinta roja. Los símbolos van en diferentes colores: el símbolo de la fortuna, en morado; el corazón físico, en rojo; la estrella de la gloria, en plateado; el djed de Osiris,[6] en dorado; y el ojo del Cielo,[7] en azul cielo.

6. Símbolo de la mente.
7. Sómbolo de la mente.

Los símbolos pueden delinearse en negro. Las letras del nombre de "Lumiel" deben escribirse con tinta verde en alfabeto romano (ver ilustración 21). Al reverso del talismán se escribe en verde el nombre de la persona para la que se hace el cuadro, en *Escritura Paso del Río.*

El cuadro necesita hacerse una sola vez, a menos que se pierda. Se puede conservar en una billetera o bolsa, o incluso enmarcado. Muchos practicantes de la sagrada magia de los ángeles mantienen el cuadro de Lumiel debajo del colchón de su cama, a menos que vayan de viaje, en cuyo caso lo llevan consigo. Este talismán de poder es en verdad maravilloso por su habilidad de proteger y defender a su poseedor.

Ejercicio 6

El Árbol de la Luna

El árbol de la Luna actúa como un foco para energías lunares y es de gran ayuda al trabajar con los talismanes lunares y para invocaciones del arcángel Gabriel. Un árbol de la Luna se carga con el poder de la Luna y aumenta todos los trabajos hechos en su presencia.

Ya que la mayoría de la energía angélica se trasmite por la esfera de la Luna (como el plano astral-etéreo), la presencia de un árbol de la Luna consagrado es útil en todos los trabajos angélicos. Por esta razón, muchos practicantes de la sagrada magia de los ángeles tienen un árbol de la Luna en su templo, santuario o altar. Un árbol de la Luna está ligado al arquetipo del arbusto en llamas sobre la montaña de la Luna y representa el árbol de la vida en Yetzirá, el plano astral.

Para hacer un árbol de la Luna necesitas elegir un árbol, de preferencia un sauce, un abedul, un peral o un manzano. Debes buscar una rama que tenga una buena extensión de ramitas en forma de abanico. El tamaño de la rama depende del tamaño que quieras que sea tu árbol de la Luna. Una vez encontrado el árbol, pasa un tiempo con él diciendo a la dríada, el espíritu del árbol, qué necesitas y por qué. Siéntate con la espalda en el tronco del árbol, dentro de su aura, y comparte tus pensamientos y sentimientos con la dríada. Después ábrete a las impresiones que la dríada te comunique.

Descubrirás que la mayoría de las dríadas tendrán buena disposición a tu intención, pues estarás usando lo que se conoce como "madera viva", un pedazo de madera que conserva su liga astral-etérea con el árbol del que se tomó y con la dríada, el espíritu de la naturaleza que usa a ese árbol como su cuerpo físico. La dríada será de gran beneficio al regalarte una porción de su propio cuerpo para hacer un árbol de la Luna sagrado. El espíritu del árbol recibirá una porción de la energía angélica que resulte de los trabajos con el árbol de la Luna y, por tanto, la evolución propia de la dríada recibirá ayuda.

Una vez seleccionada la rama, con la ayuda de la dríada, marca el lugar donde cortarás la rama con un listón o un pedazo de cuerda o de cinta. Despídete de la dríada mientras regresas. En la Luna nueva o por lo menos durante el primer cuarto, regresa al árbol.

Con un cuchillo afilado, corta la rama del árbol donde la marcaste. Coloca una moneda de plata y unos cuantos cabellos de tu cabeza al pie del árbol (cerca de las raíces) como agradecimiento e intercambio. Lleva la rama a casa y sella el lugar donde la cortaste con cera selladora o derretida de una vela, así se mantiene la savia y la fuerza de vida dentro de la rama. Coloca la rama en un lugar seguro y cálido hasta tres días antes de la Luna llena.

Mientras esperas la Luna llena, encuentra o compra una maceta o jarrón adecuado para el árbol de la Luna. La maceta debe tener la resistencia suficiente para contener concreto o yeso. Recuerda que la maceta se convertirá en un elemento fijo para tu espacio sagrado y una herramienta para los ángeles, por lo que debe ser hermosa y agradable. También necesitas objetos con los cuales adornar el árbol de la Luna terminado, pueden ser de color blanco, plateado o transparente. Puedes usar muchas cosas como adornos para el árbol de la Luna: pequeñas campanas de plata, prismas, pedazos de un candelabro, perlas reales o artificiales. Añade más adornos en el futuro pero lo mejor es tener los más que puedas listos para el "despertar" del árbol de la Luna cuando lo consagres en la Luna llena.

Tres días antes de la Luna llena pinta la rama completa de blanco. Dos días antes de la Luna llena, pinta o rocía con spray la rama con pintura plateada y cuando seque, colócala en la maceta o jarrón con concreto o yeso alrededor de la base para que la sostenga. Un día antes de la Luna llena coloca todos los adornos excepto uno sobre la rama, toma todo el tiempo que gustes. El resultado debe ser un arreglo hermoso. Algunos practicantes colocan una imagen apropiada relacionada con su ángel lunar al pie del árbol; por ejemplo, si tu ángel de la Luna es Sachiel, una estatuilla de una ballena blanca o de vidrio o un elefante de marfil son una buena opción. Tu ángel de la Luna personal actúa como el lente por el cual recibes influencias lunares.

Para consagrar tu árbol de la Luna necesitarás:

- Nueve velas blancas con sus soportes
- Incienso (añade alcanfor al incienso natural)
- Agua
- Sal

El altar debe mirar al oeste. Sobre él coloca las velas en un triángulo alrededor del árbol de la Luna, tres velas forman cada línea del triángulo, la base va frente a ti y la punta es lo más alejado.

En la noche de Luna llena, una vez que te hayas purificado y centrado abre tu espacio sagrado de manera habitual. Enciende la lámpara del altar y el quemador del incienso. Carga el agua y la sal, mézclalas y espárcelas sobre el árbol de la Luna mientras mantienes con firmeza la intención de purificación.

Ahora pon un poco de incienso en el quemador y pasa el humo tres veces alrededor del árbol de la Luna.

Después enciende la fila de tres velas de tu lado derecho mientras dices con cada una: *"SADDAI-EL-CHAI"*. Continúa con las tres velas del otro lado, enciéndelas y di tres veces: *"GABRIEL"*. Completa el circuito y enciende las tres velas que forman la base del triángulo, mientras enciendes cada una di: *"LE-VANAH"*. El árbol de la Luna está ahora encerrado en el "triángulo del arte". Ahora llama a tu ángel de la Luna personal por su nombre, hasta que sientas su presencia formarse detrás de tu hombro izquierdo. Coloca el último adorno en el árbol de la Luna (y una imagen relacionada con tu ángel lunar, si tienes uno) con lo que completas la ornamentación. Pasa un tiempo contemplando el árbol de la Luna terminado.

Visualiza sobre del árbol la Luna llena brillante. Construye la imagen hasta que esté fuerte, ve cómo brilla de poder y vitalidad. Cuando la imagen haya tomado cierta cualidad "independiente" en tu mente, ve un rayo de luz de Luna brillar en el árbol que se baña en su influencia. Ahora invoca:

Oh, Gran Poderoso, coloca tu mano sobre este árbol y cólmalo del fuego lunar de flama plateada. Deja que el aliento espiritual de Gabriel sople entre sus ramas y que los poderosos querubines brillen como lámparas encima de él.

Como la Luna en el cielo refleja tu poder y todos los mundos se alinean en unidad, yo consagro este árbol de la Luna a la gloria de Shaddai-El-Chai y del arcángel Gabriel, al gozo de los ángeles de la luz y en honor del santo ángel (nombre de tu ángel de la Luna personal). Como se ha expresado, así se ha hecho, por el poder del Señor.

Ahora abre tus oídos a tu ángel lunar y escucharás un tono musical simple en tu mente. Conforme lo oyes, exprésalo y repítelo una y otra vez. Deja que suba de volumen y se convierta en un mantra de energía sónica que vibra a través de tu conciencia y te lleva a un estado alterado. Permite que tu cuerpo se mueva y se incline ante la canción del ángel. Empezarás a oír otras voces que cantan contigo, voces de pureza y poder absoluto. ¡Estarás cantando con el coro de querubines! Cuando suceda verás que el árbol de la Luna parece estar delineado de luz plateada y blanca. Comienza a vibrar con suavidad, si hay campanas en el árbol, tintinearán. Cuando esto ocurra sabrás que tu árbol de la Luna ha sido aceptado desde arriba y que ahora está despierto en un mundo superior.

Ahora puedes terminar la canción con suavidad pero no te sorprendas si los cantantes invisibles continúan un poco. Trata de recordar el canto porque puedes usarlo en el futuro como un apoyo a la meditación para entrar en niveles más profundos de

conciencia y para comunicarte con tu ángel lunar.
Es un regalo de poder así que atesóralo y hónralo
como tal.

Cierra los puntos de tu espacio sagrado y permite que las nueve velas se consuman. Mantén seguro
a tu árbol de la Luna despierto. Puedes moverlo a otro
lugar sin molestarlo. Si alguien te pregunta qué es
contesta que es una pieza de arte que hiciste para
unos amigos. ¡Gran verdad!

Capítulo 7

Permanece con Nosotros

...Y con el amanecer, esas caras de ángel sonríen;
las he conocido desde hace mucho y las he perdido
por un tiempo.[1]

Los ángeles han supervisado toda la evolución sobre este planeta. Como hemos visto, su supervisión
de los reinos mineral, vegetal y animal ha dado como
resultado un planeta hermoso con equilibrio ecológico y capaz de mantener la vida humana. Con la
venida de la humanidad en la escena planetaria entró
en juego un nuevo factor: el libre albedrío. Antes,
todas las adaptaciones físicas, todas las modificacio-
nes de cuerpo, eran realizadas por el ángel rector que
era el alma general de la especie.

---

1. Un himno católico titulado "Luz Cordial de Guía", del cardenal
   Newman.

Cada nuevo desarrollo en una especie era resultado del trabajo de su ángel rector para producir, en el plano físico, la idea arquetípica divina de la mente del Señor. Experimentos como los dinosaurios se descartaron cuando alguna de sus funciones quedó satisfecha o la experiencia demostró que eran inadecuados para este planeta.

Sería un error total de nuestra parte atribuir omnisciencia a los ángeles. La evolución angélica, su labor de amor, yace en la tensión que hay entre su contemplación del "sueño" del creador, que está fuera del tiempo, y su manifestación exitosa de ese sueño en la Tierra.

La humanidad altera con conciencia los cuerpos físicos de otras criaturas, como vemos en el cultivo de cereales y plantas, y en la domesticación de animales (aunque sin la supervisión humana continua, estas especies tienen una tendencia a regresar a su condición primitiva). Es uno de los significados ocultos detrás de la historia en el libro del Génesis, cuando Adán da nombre a las criaturas. Los humanos también tienen la habilidad de alterar sus propios vehículos corporales. Éste es el trabajo especializado de altos adeptos, aquellos hombres que son la flor de la evolución humana. Con la llegada de la humanidad, surgieron leyes más complejas y relaciones, se introdujeron nuevas dinámicas en el esquema planetario y, en respuesta, las órdenes angélicas que no habían estado involucradas con este planeta, lo hicieron. El trabajo de estas órdenes está ligado en forma íntima con la dimensión humana.

De todas las criaturas físicas de la Tierra, sólo los seres humanos tienen la habilidad de acceder a todos los niveles de ser: físico, astral, mental y espiritual. Éste es uno de los significados del término "libre albedrío". Un humano no sólo es libre de tomar decisiones basadas en la razón y la conciencia, sino libre de funcionar en los diversos planos interiores de conciencia.

Los mundos superiores (como a veces se nombra a estos niveles) tienen sus propios habitantes, igual que el nivel físico tiene su propia flora y fauna. Dentro de estos habitantes, las huestes angélicas son de principal importancia. Por lo tanto, era inevitable —en sentido literal— que las evoluciones humana y angélica se encontraran.

Mientras los cazadores y exploradores de las sociedades antiguas exploraban el terreno físico y los hábitos y estilos de vida de animales encontrados ahí, igual los soñadores y videntes, los primeros sacerdotes, exploraban los planos interiores y sus habitantes brillantes y oscuros. Mientras los exploradores y cazadores aprendían sobre plantas, medicinas y alimentos a partir de observar y oír a los animales, igual los chamanes aprendían a partir de sus encuentros interiores y desarrollaban las cosmologías más antiguas. El explorador describe el mundo físico, el vidente establece las guías de lo invisible.

Los seres angélicos principales encontrados por estos primeros videntes fueron los ángeles maestros de la humanidad a quienes nos referimos en el capítulo 1. Y estos brillantes espíritus son aún los que están involucrados de manera más íntima con el desarrollo y crecimiento humanos. Es la interacción con estos seres de amor y sabiduría lo que esta sagrada magia enseña e invoca.

Los primeros chamanes también encontraron a los devas de la naturaleza y a aquellos ángeles que son el alma general de especies de los reinos animal y vegetal. Algunos de estos ángeles fueron adoptados como dioses, como patronos; otros, los devas en especial, fueron venerados en lugares específicos que llegaron a ser sitios tradicionales de poder y peregrinaje.

De la comunicación entre humanos y ángeles surgió la cooperación. Esta cooperación es rara al extremo, a pesar de que hay mucha evidencia que muestra que ésta crece cada día. En realidad, en la Era de Acuario, la humanidad puede experimentar una era dorada de renacimiento espiritual.

La mayoría de la interacción entre los ángeles y la humanidad tiende a ser inconsciente de nuestra parte; pero se debe principalmente a nuestra ignorancia acerca de la actividad interior. En un intento por disipar esta ignorancia, examinemos algunas de las áreas de la capa intermedia entre los ángeles y nosotros.

Príncipes de las Naciones

La humanidad, a pesar de estar individualizada, también contiene la totalidad de las fases anteriores de evolución. La conciencia es latente en el mineral, duerme en la planta, sueña en el animal y despierta en la humanidad. Pero estos no son diferentes tipos de conciencia; son modos o fases de una sola conciencia. Cada forma de vida súcesivamente superior contiene todo lo que ha ido antes. El cuerpo humano, mientras se gesta en el útero, está sometido a una transformación a través de todas las expresiones de vida previas. Un embrión humano vive en agua y sufre cambios análogos a los de un renacuajo en desarrollo. El cuerpo humano contiene sales minerales y restos metálicos pues su sistema digestivo es heredado de la fisiología de las plantas. Según la psicología, la humanidad heredó su instinto reproductivo del reino vegetal y el instinto de rebaño y el impulso a luchar o huir del reino animal.

El instinto de rebaño es la base de las divisiones sociales de familia, clan, tribu, nación, cultura y civilización. En consecuencia, estas divisiones forman almas de grupo de diversos grados de fuerza. Las almas de grupo de las naciones son grandes ya que son los colectivos físicos mayores que los humanos forman. Estas almas de grupo nacional reciben vida de poderosos ángeles cuyo propósito es transmitir la energía espiritual al alma de grupo, con lo que alcanza a todo individuo dentro de ese grupo. En el Antiguo Testamento, los ángeles de las naciones se denominan "príncipes" (Daniel, 10:13-21). Estos supervisores angélicos no están relacionados con los murmullos pasajeros de noticias ni con las costumbres de la conciencia nacional. Están relacionados más bien con la vitalidad espiritual, la "visión" que yace en la profundidad acerca de la nación (por ejemplo, la filosofía de la "libertad por la voluntad de Dios" que el americanismo verdadero abriga) y su papel en la familia de las naciones.

Un jefe de estado está vinculado con el ángel rector de la nación que él sirve durante su administración. El propósito esotérico de la coronación de un soberano es encarnar estos vínculos internos y ofrecer la vida del nuevo rey como un canal para la gracia de los mundos superiores en beneficio de la tierra y la gente que la nación comprende. Un jefe de estado desinteresado puede aprovechar la influencia benévola del ángel nacional en el desarrollo de sus deberes para beneficio de la gente que se le confía.

Existen sucesos en la vida de una nación que agitan esta conciencia profunda: la coronación de un monarca, el aniversario de algún suceso en la historia nacional (por ejemplo, el día de Acción de Gracias en Estados Unidos) u ocasiones en las que una nación se une en contra de un agresor común. En esos momentos, la persona sensible puede percibir la presencia de una gran inteligencia que rige la mente nacional e impulsa con gentileza los pensamientos de la gente hacia lo que es noble y en favor del mejoramiento.

En algunas escuelas esotéricas, estos ángeles soportes de las almas de grupo nacional se denominan "ángeles raciales". Me parece que el término es confuso pues puede dar pie a una forma de racismo intelectual que no tiene lugar en el ocultismo verdadero. Los ángeles de las almas de grupo nacional trabajan con las naciones (que a menudo constan de muchas razas), localizaciones geográficas, tradiciones, instituciones y símbolos dentro de la mente subconsciente de esa nación que pueden ser impulsados a producir mayor armonía con el todo. Un ángel nacional sostiene el darma, el destino último por el que la Providencia dio vida a la nación. Estos príncipes angélicos de las naciones también están involucrados en el trabajo del consejo espiritual, la orden retirada, que existe para servir a toda la humanidad en su viaje cuesta arriba.

Un ángel nacional usa como cuerpo una forma de pensamiento construida del subconsciente humano. A menudo es una figura mítica o simbólica. El ángel rector de Estados Unidos usa una imagen transfigurada de la Estatua de la Libertad, de estatura titánica, de colores translúcidos, con rayos de luz como corona y lleva en alto un faro de brillo deslumbrante —la luz de la libertad— que es la divinidad inmortal dentro de todo corazón humano. En otras ocasiones, el mismo ángel nacional usa la forma idealizada del Gran Espíritu Nativo Estadounidense, vasto como el cielo, fuerte como las praderas, adornado con plumas del águila sagrada que alcanza los cielos.

El ángel nacional de Inglaterra usa la forma de San Jorge[2] y en otras la forma de Britania. Una representación idealizada del santo patrono de una nación es un vehículo poderoso para el ángel de esa nación. La forma de pensamiento del santo se ha fortalecido durante siglos de devoción y oración, y consagrado por la idea esencial de una vida entregada a Dios. Por lo tanto es consistente con el papel del ángel.

El único ángel nacional que de hecho es reconocido como tal es el de Portugal. El Rey Manoel I pidió al Papa autorizar la festividad del ángel guardián de Portugal el tercer domingo de julio; que yo sepa, ningún otro país lo tiene. La aparición más reciente del ángel de Portugal ocurrió en 1916 en Fátima, donde se apareció ante tres niños. El ángel actuó como un precursor para preparar la visión posterior de los niños de la Santa Madre María, que ocurrió en los años siguientes. Los niños describieron al ángel de Portugal y dijeron que tenía la forma de un hombre joven, brillante como el cristal cuando recibe el rayo del Sol, y que llevaba una ostia que escurría la sangre sagrada en un cáliz.

---

2. San Jorge fue, con toda seguridad, una presentación cristiana del héroe griego Perseo.

En un nivel más profundo todavía reside la gran alma de grupo de toda la humanidad.[3] Pero a pesar de que hombres de buena voluntad trabajan día y noche para producir la cognición verdadera de nuestra humanidad común y el cuidado y compartimiento que debe acarrear, por desgracia, la mayoría de nosotros sólo asiente ante ello en forma intelectual, si acaso.

Hemos observado que los devas usan ciertos sitios de la naturaleza (montañas, bosques, etcétera) como puntos de concentración (capítulo 5). Sucede lo mismo con las ciudades que tienen un tipo especial de ángel que las preside. Estos ángeles "cívicos" están bajo la rectoría del ángel nacional, igual que un miembro del coro de los querubines está bajo la rectoría del arcángel Gabriel.

Música

Otra área de la capa intermedia entre los reinos angélico y humano se encuentra en el arte de la música. En Oriente, los ángeles especializados en música se llaman *gandharvas*. Muchos compositores reciben inspiración a través de la agencia de estos ángeles. Los compositores a veces oyen el canto de los coros angélicos en su estado de sueño, cuando el alma es libre de vagar por los planos interiores.

3. Jung lo llama el inconsciente colectivo; el término oculto es un "enjambre".

El recuerdo persistente de la canción de los ángeles, la música de las esferas inspira muchas composiciones. A decir verdad, parece que algunos grandes compositores desarrollaron un tipo particular de "clariaudiencia" que les permite sintonizarse con los gandharvas mientras están despiertos.

Puesto que la creación está compuesta de vibración, cada ser, cada pedazo de materia, cada onda de energía emite una nota única en la gran sinfonía de la existencia. La "canción" de los *gandharvas* es la vibración de la conciencia angélica que percibe el orden general de todas las cosas. Es, por consecuencia, de inconmensurable pureza, armonía y encanto para el alma. Como el gusto llama al gusto, gran música y música sagrada llaman a los *gandharvas* a que asistan. Ésta es una de las razones por las que un servicio religioso que contiene música, cánticos y cantos tiene una atmósfera muy diferente a la de un servicio que carece de ellos.

Toda la música que es rítmica o armoniosa levanta varias formas y colores en los niveles interiores y ciertos tipos de videntes perciben estas "formas musicales". Las formas, creadas por la vibración de las notas musicales, toman más poder de las reacciones emocionales de quienes escuchan. Los conciertos producen formas hermosas, atraen a los *gandharvas* que no sólo disfrutan en estado de pasividad, sino también usan la música. Las formas astrales construidas por la música como resultado de un concierto, ópera o ballet son como tazas que se llenan con la energía emocional de la audiencia. Esta energía es por lo general de buena calidad ya que estos tipos de música estimulan el rango emocional más alto. Los *gandharvas* acrecientan esta energía con la suya, lo que incrementa su tasa de vibración y potencia. Entonces ellos emiten la influencia combinada al sitio en el que el evento tiene lugar. Otros ángeles que laboran en el área reciben un poco de la influencia que excede el espacio y la aplican al trabajo a su cargo.

Si el concierto está dirigido a una causa particular, los *gandharvas* lo perciben y dirigen la energía acumulada a lo largo de la línea, pero ayuda si un humano les informa de la intención. Muchas buenas relaciones se han cultivado entre naciones como resultado de intercambios culturales. Los *gandharvas* han utilizado en forma deliberada a orquestas, compañías de ballet y coros que van a otro país o que actúan en tierra extranjera para promover la buena voluntad entre las naciones.

Un amigo mío que ya dejó el cuerpo era organista de iglesia y un "sacerdote con conocimiento". Podía invocar a los *gandharvas* a voluntad; de hecho, eran tan familiares para él que se creía a veces que eran el "coro invisible de Harry". A menudo lo he visto curar a un grupo de personas tocando música en más de un nivel al mismo tiempo. Podía magnetizar joyería para propósitos de curación con magia musical. Y cuando entonaba una misa cantada, las paredes mismas de la iglesia vibraban. Él me enseñó que toda la naturaleza se resolvía por la nota fa.

Los *gandharvas* tienen cariño por las campanas de tono dulce y por los grandes tantanes, y usar tales instrumentos en una ceremonia sagrada siempre los convoca a asistir. Las campanas de iglesia reciben una bendición especial que sólo un obispo puede realizar, en la que se ungen, se les pone incienso y se les dedica a un santo en particular. Algunos obispos, que eran magos y prelados, solían dedicar grandes campanas de iglesia al arcángel Gabriel para que cuando la campana sonara, la influencia curativa viajara por medio del sonido. Los *gandharvas* llevaban la energía curativa a cualquier ser enfermo que pudiera oír el tañer de la campana. La música tibetana sagrada es muy poderosa; es magia de sonido pura. Pero se necesita saber qué entidades se invocan por medio de la música y los mantras antes de usar su asombrosa fuerza.

Otros seres del plano interior son atraídos por diferentes tipos de música. El sonido de una trompeta de cuerno, el cuerno de un carnero soplado, alerta al gran arcángel Sandalfón. Los serafines disfrutan las trompetas y ciertos tipos de marchas musicales. Los duendes tienen especial cariño por la melodía "Greensleeves" (no sé por qué, pero ten cuidado de dónde la cantas). También se deleitan con las gigas irlandesas y con la danza escocesa, el sonido del arpa y con los lamentos de dolor. Los devas y los elementos responden bien a la música de ritmo fuerte —la música étnica— particularmente con tambores. En un bosque en Luna llena, se puede atraer con tambores visitantes muy interesantes; un círculo de dríadas que bailan es una vista nada fácil de olvidar.

Los seres del plano interior no son críticos de música o presuntuosos. Si cierto tipo de música funciona, la usan para producir cierto efecto, ¡incluso el rock and roll! Lo que es de su interés es la forma en que la música se crea y la emoción con la que toma fuerza. La música disonante, sin embargo, no es de utilidad ya que fomenta resonancias caóticas. De hecho en condiciones adversas, la música disonante puede estimular una inquietud psíquica profunda y ser instrumento en la evocación de demonios. Los espíritus de la oscuridad usan algunos festivales de heavy-metal para sus propios intereses.

Lugares de Adoración

La adoración verdadera impulsa una renovación de nuestra conexión con el espíritu; redirige la conciencia a la fuente de existencia que también es la meta última de la vida. Una oración lo describe como "que alguna vez podremos percibir dentro de nosotros el poder de tu vida moradora y así... sabremos que somos uno en tu presencia, a través de ti y con todo lo que vive".[4] Debido a nuestra unidad esencial con el Señor estamos conectados inseparablemente con toda la vida, porque el Señor es inherente a toda la vida. Puesto que "no hay salvación egoísta"[5] y de nuevo, "Y cuando Yo haya sido levantado de la tierra, atraeré a todos a mí" (Juan 12:32).

En un nivel profundo, lo que un individuo hace afecta a todos los seres. Las alturas, las profundidades de adoración ocurren cuando vamos más allá de nosotros, sin ver hacia dentro, sin obsesión personal pero conscientes de una estupenda realidad que cubre y llena todo en un nivel oculto, pero perceptible.

Durante la adoración, nos enfocamos en algo más que nosotros —la conciencia se expande y es receptiva— y así el mundo angélico se vuelve accesible. El encuentro inicial de la mayoría de las personas con los ángeles ocurre durante la adoración de algún tipo.

La sensibilidad incrementada, el poder de la devoción y la receptividad a lo invisible producen las condiciones ideales para tal encuentro. Un obispo ruso ortodoxo describió que cuando entró al santuario de una iglesia por primera vez, los ángeles presentes lo abrumaron. "Pero", dijo, "con el tiempo aprendí

---

4. Del servicio de *The Solemn Benediction of the Most Holy Sacrament*, de *The Liturgy* (el libro de oraciones de la Iglesia Católica Liberal; quinta edición, 1983).

5. San Agustín, *Confesiones*.

cómo ignorarlos".[6] Miles de personas, si no es que millones, están conscientes durante su adoración de lo divino (con cualquier nombre que le den), de la presencia de seres de luz que participan en su adoración.

Místicos de todas las tradiciones han dado razón, con base en su visión extática, de los ángeles que adoran al Señor. Hay muchas descripciones de los rituales celestiales que los ángeles realizan para facilitar el flujo de gracia por el que los mundos se alimentan y sostienen. En la Cábala se enseña que un humano desarrollado puede penetrar en los mundos superiores y participar en las adoraciones celestiales. Es muy probable que el uso de ceremonias elaboradas en la práctica religiosa haya surgido de un deseo de reproducir, de reflejar en la Tierra la adoración que los ángeles ofrecen. Los espléndidos rituales del Templo de Salomón en Jerusalén reflejaban el movimiento de la vida a través de las dimensiones pues cada partícula viva del Señor viajaba por los mundos del cuerpo, el alma y el espíritu antes de la transformación final en el fuego divino. La magnificencia ritual de una eucaristía bizantina se elimina en apariencia de la Última Cena de los Evangelios; pero aun así, ¿quién puede decir cómo se veía la Última Cena con los ojos del espíritu? El rito cristiano de la Eucaristía, sin importar la denominación, refleja en tiempo

---

6. En iglesias ortodoxas, el santuario está escondido de la vista del público por una pantalla alta; en las iglesias occidentales, esta pantalla encogió y es el comulgatorio.

y espacio el sacrificio eterno: el derramamiento primero y continuo de la vida divina.

En una ceremonia chamánica de la rueda de la medicina, los poderes de la creación, los devas, son invitados a compartir espacio sagrado con los participantes humanos y a intercambiar energía en reconocimiento de la unidad subyacente en el Señor. Las almas de grupo de los reinos animal, vegetal y mineral asisten como invitados y amigos respetados. En el centro del aro sagrado del chamán está el árbol que florece. La vida, en toda su variedad y complejidad, se celebra como un suceso completo y cósmico. El planeta Tierra es honrado como el altar viviente para esa maravilla de espíritu encarnado, la existencia física. Tal círculo de poder y sabiduría está en las sagradas manos del Gran Misterio, el Señor, a quien imploramos que nos "ayude y nos cure", que todos los seres conozcan la satisfacción total al "caminar sobre la belleza".

Todos los lugares que la gente usa con regularidad para adorar atraen a un "ángel de alabanza" que actúa como el guardián principal de ese lugar. La función de este ángel es canalizar la adoración al Señor que está encima de todo y actuar como lente, prisma, para el flujo de gracia correspondiente que provoca toda oración verdadera. Cada lugar de adoración tiene un ángel de alabanza que lo domina, sea una sinagoga o una iglesia, círculo sagrado o altar casero, mezquita o templo. Cuando entramos en un lugar sagrado debemos "saludar" a su ángel e invocar la bendición del Señor invisible al que sirve en secreto.

Un incidente que ocurrió cuando hacía un estudio de los ángeles de alabanza puede ser ilustrativo. Muestra cómo, aunque los ángeles son inigualables en su campo de especialización, están limitados a operar dentro de ese campo de servicio. Asistí a una misa católica, observaba el ministerio interno de los ángeles de alabanza. Antes de la consagración del pan y el vino, el sacerdote entonó una invocación con la que llamaba a miembros de huestes angélicas diversas. Observé que uno de los ángeles que respondió era nuevo en esta ceremonia particular; un novicio, si así quieres verlo.

Los ángeles se comunican entre sí con gran rapidez, algo como relámpagos mentales, según se diría si fueran humanos los que estuvieran hablando. Durante la misa, justo antes de la comunión, el padre oficiante sacó un pañuelo y se sonó la nariz. A pesar de que lo hizo con discreción, desde el punto de vista de la congregación, el ángel novicio, desde su posición ventajosa del otro lado del altar, se sintió fascinado por la acción. Volteó hacia uno de los ángeles con más experiencia y le preguntó si la acción sónica del sacerdote con el pedazo de lino blanco era alguna especie de saludo ceremonial o alabanza. El ángel con experiencia respondió que no, que el padre había limpiado su aparato respiratorio.

El ángel novicio entonces preguntó qué significaba "respiratorio".

Un practicante sabio de la sagrada magia de los ángeles llegará a conocer los diversos lugares de adoración en su área de residencia y se presentará a los ángeles apropiados. Una frase útil como presentación para casi todos los ángeles es: "Yo también estoy al servicio de Dios". Compartir información con un ángel de alabanza sobre tu trabajo o tu espacio sagrado es benéfico para ambas partes. Puedes pedir al ángel del lugar que dirija un poco de la gracia que facilita con regularidad durante los servicios de adoración hacia tu propio espacio sagrado y trabajo. De manera recíproca, puedes ofrecer que parte del rocío celestial que fluye en tu espacio sagrado vaya al ángel y a su trabajo. Una hermosa red puede establecerse así entre todos los lugares sagrados de un lugar y entre sus ángeles.

Todas las religiones son una forma del espíritu y cada edificio sagrado es una puerta al Cielo. ¡Qué derramamientos de gracia puede recibir un área y su comunidad en respuesta del Cielo a los ciclos de adoración diarios y semanales que acontecen en el lugar! Maravillosas bendiciones se reciben pues cada lugar de adoración a su vez irradia y fortalece a todos a su alrededor por medio de los ciclos anuales de los días de fiesta y los días santos de todas las religiones representadas en la comunidad. Nuestros propios templos de ángeles pueden estar viviendo un vínculo en esta red de gracia, también nosotros podemos recibir y dar.

Hay sobre la Tierra una bóveda de luz, una sombrilla de energía que refugia al planeta. La función de esta bóveda es proteger la conciencia psíquica de la humanidad de las sombras oscuras del mal que buscan destruir la evolución humana para arrastrar a la humanidad de regreso a niveles de barbarismo, los que ha superado con gran esmero. La energía que mantiene esta bóveda luminosa proviene de los corazones de todos los hombres y mujeres de buena voluntad. Pertenecen a todas las religiones y credos, pero todos ellos están alcanzando una comunión más profunda con el Señor, sin importar la forma externa que su observancia religiosa tenga. La lealtad a la luz del Altísimo va más allá de cualquier límite sectario. Las religiones organizadas sirven para dar una estructura al espíritu, impulsar una conciencia de las cosas eternas y guiar a las almas en desarrollo en las relaciones correctas entre ellas.

Todo lugar de adoración envía un torbellino de energía que reabastece la bóveda de luz. Desde el nivel del espíritu se percibe un domo radiante sobre todos los edificios sagrados y sitios santos. Los ángeles de alabanza, y quienes saben, lo usan para dirigir energía hacia la bóveda de luz. Este domo es también un lente por el cual la gracia que desciende se enfoca al lugar de adoración y a los que están en su interior. Pero la bóveda general es más importante,

en particular en estos tiempos de conciencia planetaria creciente. Organizaciones como la francmasonería
y otros grupos cuasi esotéricos contribuyen mucho al
poder de la bóveda general al llenar los "huecos" que
otras religiones organizadas dejan. También hay individuos que, trabajando bajo la supervisión de los
señores de la compasión, toman su lugar como guardianes de la bóveda de luz que protege a la Tierra y
sus hijos de maldades muy grandes para que la humanidad colectiva las enfrente.

El arcángel Sandalfón, la guía arcangélica de
nuestro planeta, también se conoce como el Príncipe
de la Oración. Cuando se ofrecen las "grandes oraciones" actúa como el ángel de alabanza y las lleva al
altar superior. Estas oraciones ocurren cuando miles
o incluso millones de personas, sin fronteras de nación y raza, se unen en una intención y voltean hacia
arriba. Yom Kipur, Navidad, Wesak, Divali o Id al-
Fitr son ejemplos de "grandes oraciones". Pero quizá
más significativas, en estos días de conciencia global
creciente, sean esas ocasiones en que la gente de
todos los credos y naciones se reúnen para interceder
con el Señor; cuando la gente de todo el planeta se
une en protesta de oración en contra de la injusticia,
la avaricia o la explotación, cuando la gente ora en el
día mundial de la salud y pide una cura para el SIDA
o en el día de la curación planetaria para la curación
global. Éstas también son "grandes oraciones". Cuando la gente en todo el mundo ora al mismo tiempo

con la misma intención, Sandalfón entrelaza estas energías de alma, forma una sola gran oración y la presenta ante el corazón del Altísimo. Con toda seguridad, éstas son las ocasiones cuando los ángeles cantan "gloria al Señor de las alturas y en la Tierra paz a los hombres de buena voluntad".

Trabajos de Grupo

Uno de los usos esotéricos de la ceremonia es crear una vasija en la que la energía de un reino más alto pueda recolectarse y dirigirse a la intención del ritual. Por ejemplo, para ayudar en la resolución de una situación o conflicto, un grupo de gente se reúne con la intención de ayudar. Una vez establecido un espacio sagrado —con la protección adecuada contra energías indeseables— se procede a crear una "vasija". Esta "copa", hecha de las energías unidas de los participantes, funde sus auras, se unifican sus concentraciones emocional y mental para que se forme una mente de grupo, una "vasija".

Una vez formada la vasija, el grupo invoca poder de un mundo superior para llenarla. La técnica de invocación varía de acuerdo con la tradición y el entrenamiento del grupo; puede usar sonido, cantos o mantras; combinarlos con movimiento sagrado, gestos estilizados o baile; usar silencio. Un grupo con pericia puede llevar la vasija con ellos a los mundos superiores por medio de la proyección astral de un grupo para llenarla con la inagotable luz que proviene del trono divino. Después de recibir la gracia, el grupo dirige esa energía a la situación o conflicto que es la intención de su trabajo. En trabajo de curación, la vasija se llena de las aguas quietas (ver ejercicio 1, Beth Malakhim).

Cada oficio ritual tiene un miembro del reino angélico asignado para facilitar el flujo de energía que invoca. Cuando el participante humano entra en la función de su oficio, el ángel correspondiente se enciende, por así decirlo, se coloca en el nivel astral y se conecta con el aura de quien oficia durante la ceremonia. En ocasiones de gran poder se sabe que estos ángeles por el rito bajan incluso al nivel etéreo, donde se vuelven semivisibles para los presentes. Los rituales que forman la base de los trabajos de una logia mágica están construidos sobre este conocimiento. Los coros angélicos que cooperan con humanos en rituales esotéricos a veces se denominan "ángeles de ceremonia". Estos ángeles traducen las energías del rito que se está trabajando y las conducen a los planos, con lo que vinculan el sitio físico con los sitios del plano interior, aquellas reuniones santas donde se conoce la voluntad de Dios.

Las reuniones privadas de hombres de conocimiento que, en su deseo de servir, se ofrecen como cooperadores ante los señores de la luz, hacen más bien de lo que el mundo sospecha. Éste es el "ministerio de ángeles y hombre", los miembros de ambos reinos que van ante la presencia del Santísimo para servir a su voluntad de día y de noche.

Asociaciones

Hemos visto cómo los colectivos humanos dan forma a mentes de grupo, ya sea un club de aficionados de fútbol, un partido político o una nación. Donde sea que exista un vínculo común de ideales y emociones nace una mente de grupo. Algunas duran unos años, otras perduran milenios.

Las religiones, que cruzan las fronteras nacionales y las generaciones humanas, producen las mentes de grupo más grandes. Ya que el propósito de la religión es enfocarse en los asuntos del espíritu, las mentes de grupo religiosas penetran más en los mundos superiores y, por consecuencia, sus mentes de grupo también generan un alma de grupo. Esto explica por qué, a pesar de que la mente de grupo de una religión pase periodos de aridez o incluso de maldad (como durante las cruzadas, la inquisición o las persecuciones), los individuos celebrantes pueden mantener el acceso a la gracia, la revelación y la unión con lo divino.

El alma de grupo, como es de orden distinto, no es corrompida por la mente de grupo. Expresa una realidad espiritual. En consecuencia, cada religión tiene una reserva de gracia que fluye por sus canales

establecidos y ángeles que facilitan el fluido del "rocío del Cielo", para que sus formas externas reciban
la gracia.

Cuando la gente de religión designa a individuos de entre ellos para tener acceso a la reserva de
gracia, los elegidos reciben una "iniciación formal".
Tal iniciación formal varía de acuerdo con la tradición: la ordenación de sacerdotes cristianos o monjes
budistas, la transmisión de la autoridad rabínica para
los judíos, el "levantamiento" de un masón maestro
o la iniciación en el culto de wicca. Todos son ejemplos de iniciaciones formales que son diferentes de la
iniciación esotérica. Los receptores de dichas iniciaciones formales reciben acceso a la ayuda angélica
que varía de acuerdo con los arreglos hechos con el
Cielo en las diversas tradiciones.

Los sacerdotes cristianos tienen "ángeles sa-
cerdotales" que les ayudan en las funciones de su
oficio. En otras palabras, cuando operan como representantes autorizados para el alma de grupo de la
iglesia, con acceso a su reserva de poder. Un gran
inspector general —el grado trigésimo tercero del rito
de la masonería escocesa— es un "Príncipe de la
Masonería". En la ceremonia para conferir este grado,
dos grandes ángeles blancos del rito se adhieren al
receptor. Estos ángeles se convierten en trabajadores
adjuntos que ayudan al nuevo rector del oficio en su
futuro trabajo. Los "ángeles apostólicos" mellizos
que trabajan con un obispo funcionan de manera

similar. Por ejemplo, un obispo individual puede no estar consciente de los niveles interiores ni de cómo operan. Pero cuando ese obispo se "abre" a desarrollar alguna función (una bendición episcopal, por ejemplo), los "ángeles apostólicos" mellizos dirigen la gracia invocada sobre los presentes.

Los ángeles que trabajan con quienes ostentan varios grados de autoridad dentro del alma de grupo de una religión sirven para facilitar el flujo interior de energía a través de la instrumentalidad física humana. Este ministerio compartido de miembros del reino angélico con humanos que llevan el oficio sagrado es una de las razones por las que puede haber una dramática diferencia entre los humanos cuando funcionan en su oficio y cuando funcionan en su personalidad cotidiana. No significa que un receptor de la iniciación formal vaya por la vida con la atención de varios ángeles 24 horas al día. Como se explicará en el siguiente ejercicio (Cómo tomar las alas de la mañana), los ángeles están conectados por medio de una "estrella" de luz dentro del aura humana. Cuando el socio humano realiza un acto de voluntad, con la intención de funcionar con el oficio a su cargo, los ángeles al instante aparecen y hacen su parte. La mayoría de las personas que ha recibido iniciación formal no está consciente de estas "asociaciones angélicas". Después de todo, no se les confiere el grado de oficiante religioso para beneficio personal. Pero ¿qué tanta más efectividad podría tener su ministerio si trabajaran conscientemente con los ángeles de luz?

Sin embargo, no es necesario someterse a iniciación formal para que evolucione una asociación entre un ángel y un humano. Estas asociaciones ocurren de manera natural cuando los seres humanos siguen su vocación verdadera.

Parece que la dedicación desinteresada atrae a los ángeles. Por ello vemos que algunas enfermeras, maestros, parteras, doctores, veterinarios, sanadores, trabajadores sociales y seguidores de otros "llamados" reciben atención de ángeles que se especializan en su campo. De hecho, de lo que he recopilado a la fecha, parece que todo campo del esfuerzo humano que lleva el alma de un ideal de servicio para la bondad, la belleza y la verdad atrae la cooperación de los ángeles, tanto al nivel de la intuición como en esos sucesos sincrónicos que adornan la vida de un alma dedicada.

Cómo Tomar
las Alas de la Mañana

*E*ste ejercicio es una unión intencionada de la conciencia humana y angélica. También se usa en la tradición esotérica occidental, con algunas adaptaciones, para unirnos con las deidades del misterio de los panteones antiguos. Es una técnica de concordia intencionada. Quizá suene atemorizador al principio, pero después de experimentarlo se verá que es benéfico para ambas partes. Para los humanos, da un goce anticipado de los niveles más profundos de la existencia, un vislumbre del esplendor eterno de las realidades no creadas, una experiencia del ser puro, libre de las limitaciones de tiempo y espacio. Para el ángel, hasta donde podemos decir, ofrece una experiencia de las bellezas de completa manifestación, caminar por un tiempo dentro del mundo físico y una fusión temporal con un ser que contiene los cuatro niveles (un humano). Así, el ángel experimenta la totalidad del gran diseño de Dios. En una forma que apenas empezamos a entender, esta práctica también incrementa los vínculos entre los reinos humano y angélico. Cada vez que se usa esta práctica, la meta, llamada en los mayores misterios el "día de estar con nosotros", se acerca mucho más a la realidad.

Cada vez que se invoca a un ser del plano interior, deja un punto de luz dentro del aura del humano que lo invocó. Este punto de luz, que parece una pequeña estrella para la vista del espíritu, es como un número de teléfono directo; habilita al humano a convocar a la entidad del plano interior con más velocidad en el futuro. Es una de las razones por las que las auras de los individuos desarrollados en el ámbito espiritual —místicos, chamanes y magos— tienen el impacto que tienen en lo sensible.

La única razón por la que estoy compartiendo esta técnica esotérica es para que los ángeles vuelvan a caminar con nosotros. Si alguien fuera tan tonto como para usarla para entrar en comunión con subhumanos, elementales, humanos sin cuerpo o entidades que no son de la luz, que sobre su cabeza caigan las consecuencias. Aquellos humanos que con intención llaman demonios del infierno reciben por ello marcas en sus auras que los inclinarán a un mayor mal en el futuro y finalmente a la perdición. Amarga, sin duda, es la pérdida de estos individuos y doloroso su regreso al Gran Camino. Sin embargo, se nos dice que "todos sus hijos un día llegarán a sus pies, no importa cuánto se desvíen". Bajo ninguna circunstancia la gente debe usar este ejercicio si no está bien físicamente, si toma medicinas o si está bajo supervisión psiquiátrica.

Sugiero que para empezar uses esta técnica con tu ángel personal del Sol o de la Luna. Cuando hayas adquirido destreza por la experiencia úsala para entrar en comunión con otros miembros de las huestes angélicas y, a su tiempo, incluso con los señores del fuego, los grandes arcángeles. Es sabio hacer este ejercicio en espacio sagrado, aunque después puede realizarse fuera del espacio protegido con ángeles con los que te has unido con anterioridad.

Una vez elegido el ángel con el que quieres unirte, estudia lo que sabes sobre ese espíritu brillante como las cosas que se le atribuyen y los colores y símbolos que se relacionan con su función y rectoría en los rangos celestiales. Asegúrate de que no se te molestará. Establece un ritmo respiratorio gentil y rítmico. Acepta todos los ruidos extraños, no te resistas, permite que pasen con libertad a través de ti y te darás cuenta que dejan de tener el poder de distraerte. Adquiere conciencia de la flama dorada dentro del centro de tu corazón, con lo que debes centrarte.

Después, cambia tu conciencia al centro de la corona, una esfera de brillo blanco situada entre 15 y 30 centímetros arriba de tu cabeza. Este centro es tu identidad esencial que está en perfecta sincronía con lo Absoluto. El Libro de Proverbios habla de este centro de la corona cuando dice: "La lámpara de Yahvé es el espíritu del hombre..." (Proverbios 20:27) y, de nuevo, "...su lámpara sobre mi cabeza, y su luz me guiaba en las tinieblas" (Job 29:3).

Si conoces el "signo de llamado" del ángel, construyelo en tu imaginación, con el color apropiado, hasta que adquiera una calidad "independiente" en tu conciencia. Si no lo conoces —tratar de aprender cuál es el sello de un ángel en particular es una razón para usar esta técnica— ve al siguiente paso. Repite una y otra vez el nombre del ángel, con lo que se convierte en un mantra, una vibración sónica pura. Permite que el sagrado nombre del ángel resuene a través de tu cuerpo y aura poniéndolos en la frecuencia del ángel. En esencia estás convirtiéndote en un diapasón que resuena a las mismas notas que el ángel. Cuando sientas que entras en un estado alterado de conciencia disminuye el volumen de tu canto y detén la repetición.

Sentirás una presencia que se forma detrás de ti. Abre la visión imaginativa de tu visión espiritual (una de las peculiaridades de la visión espiritual es que con ella puedes ver detrás de ti con la misma claridad que hacia el frente). Es probable que el ángel aparezca al principio como una "columna" de fuerza vibratoria, un pilar viviente de luz iridiscente, de gran brillo, pero no exclusivo, en sus colores mayores.

Después de un tiempo, el ángel adoptará una forma más antropomórfica, con alas de aura brillantes y de gran belleza. Al principio, el ángel hará contacto delicado y te envolverá en su aura. Esto tiende a causar una sensación vigorizante que una vez se describió como "champaña en la sangre". De hecho, tu ritmo corporal, tu latido cardiaco y tu respiración pueden incrementarse un poco. Es muy normal y el cuerpo se ajusta con rapidez. Si no lo hace, termina el ejercicio de inmediato y con suavidad.

Sentirás el gentil toque mental del ángel pues busca tu permiso, tu cooperación, para fusionarse. A diferencia de las formas de Dios, que son creaciones de lo creado, los ángeles son muy considerados de sus "huestes" humanas y en consecuencia tienden a cubrirse, a bajar sus energías para no "quemarnos". No malinterpretes esta consideración de parte de los ángeles como un indicador de que son menos poderosos que las formas de Dios. Sería una conclusión muy alejada de la verdad. De hecho, sólo los que en verdad son fuertes son gentiles. Si por alguna razón decides negarte, el ángel se alejará. Si aceptas, el ángel continuará y te cubrirá por completo.

La experiencia de entrar en el cuerpo es muy subjetivo y un poco desorientadora para el inexperto. Es como estar envuelto en luz viviente que recibe el alma de una conciencia que es superconsciente según los estándares humanos. Las facultades físicas reposan pero las facultades psíquicas se despiertan y expanden. Para ayudar a estabilizar lo que es una fusión asombrosa renueva tu enfoque en el centro de la corona y poco a poco deja que se fusione o coincida con el centro del corazón del ángel. Esto hará que el toque mental y la armonía telepática sean más claros.

Abre tu mente a la del ángel. Al principio puedes notar que tus emociones llegan a un estado casi de arrobamiento, pero si mantienes tu enfoque en el centro de la corona la respuesta emocional será controlable. Con los ángeles, la comunicación rara vez tiene lugar con lenguaje o palabras. Los ángeles se comunican con emoción e imagen. El ángel da imágenes a tu mente. Éstas suelen pasar en una sucesión muy rápida y sólo con la práctica te familiarizarás con la velocidad de la vibración angélica.

Una vez que exista familiaridad entre tú y tu ángel individual puedes recibir información de él sobre su función y trabajo. Sin embargo, es vital que recuerdes que un ángel sabe casi nada fuera de su área de actividad. Los arcángeles no tienen esta restricción debido a su función cósmica mayor, pero incluso ellos tienen limitaciones. Quizá de todos los arcángeles, Gabriel sea el mejor "maestro" puesto que es el anunciador, el portador de la sabiduría espiritual y supervisa todas las almas con o sin cuerpo. Por eso, la magia sagrada de Gabriel se enseña primero en este libro.

Es importante que no te extiendas demasiado. Para empezar es suficiente que estés en comunión por un periodo no mayor a cinco minutos. La conciencia angélica, como es más rápida que la humana, hace difícil sustentar y recordar detalles de la comunicación. Lo mejor es tener sesiones breves y frecuentes, no una sola larga. Para dar por terminada la "comunión", primero agradece al ángel y empieza a alejarte del sol miniatura que es el centro del corazón del ángel. Él entenderá y empezará a retirarse del vehículo de fusión hasta que esté detrás de ti de nuevo. El ángel ahora retirará su aura de ti y dejará de cubrirte para que estén separados por completo. Pero verás que un diminuto punto de luz, como una brillante gota de rocío, permanece en tu aura. Así permanecerá y cuando dirijas tu mente hacia el ángel, incluso en un pensamiento casual, resplandecerá como un faro y atraerá la atención del ángel. Esta "estrella" del aura también facilitará la comunicación futura entre tú y el ángel. Es muy importante que ahora restablezcas tu identidad al repetir tu nombre algunas veces.

Antes de que parta tu nuevo "amigo", no hay mejor regalo que puedas hacer que invocar la bendición del Santísimo para el ángel, con la fórmula tradicional:

Santo ángel (nombre), que has elevado tu hogar conmigo en tiempo y espacio, te agradezco este regalo. Regresa a tu propio reino con mi amor. Que la bendición de Eheieh (se pronuncia Eh-yeh) llegue a ti, al grado en que puedas recibirla. Ángel de la luz, en el nombre del Señor, te rindo honor y me despido.

Después del ejercicio debe tomarse algo caliente y comer algo para ayudar a terminar la sesión en el ámbito psíquico.

Conclusión

Habla de la Cábala y los ángeles se acercarán.

Los ángeles son seres emocionales. Como residen en el plano astral, su propia sustancia y forma resuena a la misma energía que los humanos usan cuando experimentan una emoción. Como se mencionó antes, los ángeles no tienen el mismo rango emocional que los humanos. Las emociones inferiores de odio, avaricia, celos, miedo y depresión están fuera de la experiencia angélica. Sin embargo, sí experimentan las notas superiores del rango emocional de la humanidad: amor, gozo, confianza, desinterés. Si no fuera así, no podría haber comunicación entre nuestros dos órdenes de creación. Pero el rango de emociones angélicas se extiende hacia arriba, más allá del rango conocido para la mayoría de nosotros. Esas emociones sublimes experimentadas por místicos y sabios a lo largo de las eras, como resultado de una comunión más profunda con el Señor, están dentro del rango natural de los ángeles. El samadhi de los practicantes de yoga, el éxtasis divino de Teresa de Ávila, la intoxicación de Dios de los contempladores, son todas emociones que los ángeles comparten.

Los ángeles son seres esenciales de energía pura y hay al final una sola fuente de toda energía. Los ángeles son "transformadores" que disminuyen la omnipotencia para que aprendamos de ella y crezcamos hacia ella. Sólo aquellos humanos en la vanguardia de nuestra evolución —la Asamblea Santa, la Comunión de los Santos— han trascendido a los mismos ángeles y se han convertido en "amigos de Dios". Aunque ningún ángel ha alcanzado tal grado de cercanía con el Señor, quizá —como los ángeles nos enseñaron en la infancia de nuestra especie— nosotros en la madurez de la humanidad llevaremos a los ángeles al lugar secreto del Altísimo.

Los humanos afectamos, para bien o para mal, todo con lo que estamos en contacto. Cada nivel de nuestro planeta ha sido explorado, examinado y tocado. Las profundidades de la Tierra han sido abiertas; se ha pisado las cumbres de las montañas más altas; los submarinos han nadado más profundo y por extensiones mayores que cualquier ballena; las "aves de metal" de diseño humano han transportado a miles a través de las nubes todos los días; y los hombres han caminado sobre la superficie de la Luna. El ojo humano ha mirado el "invisible" nivel microscópico, el funcionamiento profundo del cuerpo físico, el abismo oceánico, los planetas del sistema solar y galaxias de estrellas muy lejanas a la nuestra. Cambiamos todo lo que tocamos, con o sin intención. Afectamos los cuatro elementos y hacemos con ellos nuevas combinaciones y relaciones. Las plantas y los animales son alterados por nuestro manejo o exterminados por nuestra persecución. Como individuos y como especie, los humanos somos catalizadores; iniciamos el cambio, estimulamos la adaptación y provocamos la transformación. La huella de nuestros pensamientos y sentimientos satura y llena todo a nuestro alrededor.

Sucede igual en cuanto a los reinos invisibles. La presencia de la humanidad ha afectado a los elementales, a las hadas y a los duendes, así como al reino angélico. Hemos visto, aunque muchos no lo ven, cómo el ministerio angélico se ha adaptado a nosotros. Estuvieron con nosotros como dioses de la naturaleza y tótems de clan; han enseñado a nuestros sabios; han sido instrumentos en la curación de nuestros enfermos y en la atención de nuestros moribundos. Bendicen nuestras ciudades, están en nuestros hospitales, resguardan nuestros lugares sagrados y oran con nosotros. Siempre buscan inspirar a las naciones en los caminos del Señor. Y en forma desinteresada ayudan almas despiertas en su ascenso por los planos para recibir la luz superior de manera directa.

Esas personas para las que el conocimiento del ministerio angélico ya no se basa en la fe, sino en su propia experiencia de los ángeles —practicantes de esta magia sagrada e individuos que siguen muchas otras tradiciones—, a menudo se enfrentan con un problema. El problema es de "gratitud". Los humanos tienen la necesidad de agradar a otros. Y cuando un ser ha sido instrumento para dar ayuda y bendiciones maravillosas en tu vida, es natural querer decir algo más que "gracias". ¿Pero qué puedes darle a un ser sin cuerpo?

Cómo dar Regalos

Se puede hacer un "regalo" a un ángel al enriquecerlo con experiencias que nunca ha tenido. Podemos dar a un ángel un regalo de agradecimiento al compartir. Recuerda una experiencia pasada en tu vida, una de gran belleza que llenó la copa de tu alma. Asegúrate de que sea una experiencia positiva, que no contenga negatividad, como el alivio del miedo cuando una persona querida se recuperó de una enfermedad. Puede ser el recuerdo de tu primer beso; la vista de un amanecer sobre el lago de una montaña; el placer de reunirte con un viejo amigo; la primera vez que oíste el Segundo Concierto para Piano de Rachmaninov o que cargaste a un bebé recién nacido. El recuerdo desde luego será diferente para distintas personas; ésa es la diversión de ser humano. No te preocupes por perder el recuerdo al dárselo al ángel. No será así, sino que ganarás el gozo de compartirlo.

Una vez que hayas elegido el recuerdo, vuelve a vivirlo en tu mente. Constrúyelo, recuerda los detalles y sensaciones, recaptura el momento y suéñalo despierto. Ahora con un gentil acto de voluntad muévete al siguiente nivel, el nivel astral de la psique. En las manos del vehículo que ahora llevas verás una forma geométrica brillante. Suele ser multifacética y resplandece con colores tiernos, nunca son iguales. Así es como aparece tu recuerdo al traducirse a este nivel de existencia.

Ahora haz un llamado al ángel al que deseas regalarlo. Después de haber trabajado con este ser, la respuesta será rápida. Cuando el ángel aparezca, infórmale con toque mental que deseas darle el presente que llevas en las manos como una regalo de amor y gratitud.

No te sorprendas si los colores del aura del ángel cambian y parecen agitarse; es la muestra de placer de la entidad del plano interior. Es muy raro que un espíritu humano con cuerpo haga regalos a un espíritu angélico.

Cuando el ángel haya aceptado tu regalo atraerá la forma geométrica a su ser. Los "fuegos artificiales" que verás en el aura del ángel son su asimilación del regalo; la explosión de una estrella de encanto puro y sin mancha. El gozo indirecto que experimentarás con intensidad es el resultado de algo que se comparte entre dos líneas de evolución unidas por un momento eterno fuera del tiempo.

Metatrón

En el Libro del Génesis hay una breve mención de un humano llamado Enoch (cuyo nombre significa "iniciado"), que "caminó con Dios y no lo fue". La Cábala enseña que Enoch —el primer ser humano iluminado por completo— fue transportado físicamente al mundo de arriba, como otros desde entonces. Habiendo ascendido en cuerpo, alma y espíritu, Enoch estuvo en presencia del Divino y ahí, con el fuego supremo que llenaba cada átomo de su ser, Enoch fue transfigurado en el arcángel Metatrón.

El arcángel Metatrón, Príncipe de las Serenidades, es el jefe de todos los ángeles. Tiene el título de "Maestro de las Alas" y el "Yahvé menor" porque está dicho que nadie más que los arcángeles de la presencia pueden distinguir entre Metatrón y el Señor. El arcángel Metatrón, al frente de las huestes celestiales, supervisa toda la creación y la evolución humana en particular. Su título del "Yahvé menor" indica que es un microcosmos completo que refleja al Señor cara a cara. Metatrón es un humano perfecto y el mayor de los arcángeles.

El arcángel Metatrón es el "modelo", el prototipo de la humanidad. Todos los humanos están destinados a volverse seres de conciencia completa. Sólo Dios y los seres humanos tienen la habilidad de experimentar conscientemente los reinos mineral, vegetal y animal, los mundos visible e invisible, y los niveles angélicos. Cuando los humanos han aprendido todo lo que la encarnación puede enseñar, han desarrollado almas que son espejos sin mancha de la luz y se han unido con su espíritu eterno, están listos para trascender la creación e incluso a los mismos seres celestiales. Éste es el "día de estar con nosotros", cuando los hijos de Dios regresen a la fuente que también es la meta, con la rica cosecha de sus muchas vidas. Como dijo Pablo (Hebreos 1:5), "...¿a qué ángel jamás le dijo Dios: Tú eres mi Hijo; en este día yo te he dado la vida?".

Para ayudarnos a alcanzar nuestro destino, los ángeles maestros de la humanidad compartieron su magia sagrada con nuestros ancestros. Fue para ayudarnos a alcanzar nuestro destino que los iniciados a lo largo de los milenios preservaron con gran cuidado esta magia sagrada, que ahora ha llegado a tus manos.

Espero con toda sinceridad que este libro aminore el tiempo que pasarás antes de que estés en la presencia del Santísimo Señor, ante la luz de cuya gloria los mismos ángeles se cubren.

Templo del Corazón

*El Señor está en su santo templo,
dejen que todos los mundos guarden silencio ante él.*[1]

Todo ser humano es de género masculino, femenino y divino. Este ejercicio es para ayudar a centrarte y empezar a construir tu propia relación, tu cortejo íntimo con el Señor de amor eterno. Con formas simbólicas, te hace capaz de acceder a tu identidad más profunda: el Dios que llevas dentro.

Asegúrate de que no se te molestará. Siéntate con comodidad pero no tanta que te dé sueño. Pon la columna derecha, sin cruzar las piernas y las manos en descanso sobre tus muslos. Cierra los ojos, respira profundamente, con ritmo y sin tensión. Establece el patrón de respiración hasta que sea habitual. Permite

---

1. De un ritual de apertura.

que tu conciencia descanse en la oscuridad cálida y formadora.

Nada de preocupaciones, nada de miedos, sólo condición pura de ser. Ahora en la mente construye el signo de llamado de tu ángel lunar: hazlo con luz plateada hasta que brille tenuemente. Mientras lo haces sentirás un peso ligero sobre tu hombro izquierdo, indica que el ángel lunar está ahí. Dale la bienvenida con palabras como:

"(Nombre), mi santo ángel de la Luna, en el nombre del Señor, te honro y te saludo".

Permite que el aura del ángel te envuelva con suavidad.

En luz dorada, construye en tu mente el signo de llamado de tu ángel solar. Conforme empieza a destellar, sentirás un peso ligero sobre tu hombro derecho que indica que tu llamado ha sido escuchado. Vuelve a dar la bienvenida.

"(Nombre), mi santo ángel del Sol, en el nombre del Señor, te honro y te saludo".

Siente que el aura del ángel te abraza. Ahora estás bañado en plata y oro, las energías masculinas y femeninas en ti están despiertas, en armonía y vibrantes.

Los ángeles del Sol y de la Luna se mueven hacia adelante, te toman de las manos y te levantan. Frente a ti flota un botón de rosa enorme y rojo, mientras lo ves, los pétalos de la rosa empiezan a abrirse y revelan en su centro una dimensión, una cámara de suave refulgencia que emana una paz profunda. Los ángeles te guían a este lugar de santidad y entras al Templo del Corazón.

Dentro está el Altar de la Redención, formado de mármol blanco, cubierto con una tela de oro, sobre la que está un cáliz brillante. El cáliz es de diseño simple, hermoso y puro, en él resplandece una luz interior como una lámpara. Permite que la quietud de este lugar te llene y cubra tu ser. Permite que el poder de la paz que fluye de la copa de copas llene los lugares vacíos que hay en ti.

Permite que la influencia transmute todos tus patrones de pensamiento habituales, todas tus respuestas emocionales, en cosas de belleza, esperanza y confianza, en creaciones tocadas con maravilla. Aquí está tu herencia como hijo del Señor; siempre amado, siempre protegido y siempre guiado a cada paso del camino.

Más allá del altar puedes ver a tu maestro interior o a tu identidad superior. Levanta el cáliz, símbolo de la unión eterna que existe entre el Creador y la creación. Toma el grial y bebe para refrescar tu alma.

En la parte inferior del cáliz está una joya labrada en facetas. Su luz es gloriosa, un espectro de arco iris que encanta y agrada. Pero no permitas que la joya te hechice; persiste, ve a través de ella. La joya se desvanece y en la oscuridad de la copa está la flama dorada estable que es Dios.

Paren y reconozcan que soy Dios...[2]

Cuando termine tu comunión con el Señor pon el grial en el altar. Los ángeles que te esperan, te escoltan y te llevan de regreso del Templo del Corazón. Los pétalos de la rosa se abren una vez más, cubriendo la inmanencia. Vuelve a la conciencia de tu cuerpo físico. Abre los ojos despacio y toma conciencia de tu identidad dentro del aspecto físico de la realidad.

Puedes usar este ejercicio siempre que lo necesites. Cuando las presiones de la vida exterior sean demasiadas para enfrentarlas ve al templo interior y bebe de la presencia que crea y sustenta el universo eternamente. Cuando sientas más agobio del que puedes soportar sigue el consejo de los salmos y "Arroja en el Señor toda tu carga porque él te sostendrá..."[3] Cuando necesites curación para ti o para otros, lleva contigo la intención de ayuda al Templo del Corazón y entrégala sin reserva a la luz ilimitada.

También entra a dar gracias por todas las maravillosas bendiciones de tu vida.

_____

2. Salmos 46:11.

3. Salmos 55:23.

Entra en esta quietud central con receptividad y atención, y escucharás la voz quieta y pequeña; y te ha de enseñar más que todos los libros del mundo. En él está la Omnisciencia, si lo escuchas. Entra y habita en la presencia del Señor amoroso.

Apéndice I
Las Escrituras Angélicas

*E*xisten dos escrituras que se usan a lo largo de *La Sagrada Magia de los Ángeles*. Son la *Escritura Tebana* y la *Escritura Paso del Río*. Estas escrituras son simbólicas. Un símbolo es una sombra marcada por una realidad interior. Estas escrituras o alfabetos no son lenguajes, sino símbolos usados para transliterar el alfabeto del propio lenguaje del practicante. Por ejemplo, el nombre propio "David" se escribe con los símbolos en las escrituras angélicas que corresponden a D, A, V, I, D. Estas escrituras sagradas se han usado durante siglos para invocar a los ángeles de la luz y así tener resonancia profunda con el reino angélico. También, las escrituras "dan combustible" à las peticiones escritas con ellas. Al requerir concentración agregada llenan la petición de energía mental intensa.

Alfabeto Romano	Escritura Tebana	Alfabeto Romano	Escritura Tebana
A		N	
B		O	
C		P	
D		Q	
E		R	
F		S	
G		T	
H		U	No se usa
I		V	
J	No se usa	W	No se usa
K		X	
L		Y	
M		Z	

Tabla 1. La Escritura Tebana.

La Escritura Tebana

Esta escritura mágica recibe el nombre por Honorio de Tebas y a veces también se le llama escritura honoriana (ver Tabla 1). Está muy relacionada con la Luna y sus energías, afecta los niveles etéreos y astrales inferiores. Tiene gran resonancia con la tabla invocadora de la Luna. La tabla muestra el alfabeto de la *Escritura Tebana* con equivalencias al alfabeto inglés.

Como en muchas escrituras antiguas, no hay equivalentes para las letras modernas J, U y W. En estos casos, el símbolo tebano para la I es sustituido por la letra J; el símbolo tebano para la V también se usa para la U y se escribe dos veces para representar a la letra W.

La Escritura Paso del Río

El nombre de esta escritura se deriva de la narración en el Génesis sobre los cuatro ríos —Pisón, Éufrates, Guijón y Tigris— que fluyen a través del Jardín del Edén. Estos ríos fluían del Árbol de la Vida a los puntos cardinales de la brújula; ya que "edén" significa "tiempo", los ríos que fluyen en las cuatro direcciones quizá se refieren al "espacio" y su definición. Esta escritura también se conoce como la escritura talismánica del Rey Salomón.

A	sonido amplio como AY		N	como En	
B	como en Be o Bi		Sh	como en Show	
G	sonido fuerte como en Gato		O	como en Corazón	
D	como en De o Di		P	como Pe o Pi	
E	como en Eco		J	sonido ligero como el de la Y	
V	Usa dos V para W; también es el sonido de la U		Q	como en Ku	
Z	como en Zorro		R	sonido como R o RR	
H	sonido fuerte como si fuera J		K	sonido fuerte como en Kiosco	
Th	como D		L	como El	
I	sonido natural de la I		S	como en Soplar	
M	como Em		T	como Te o Ti	

Tabla 2. La Escritura Paso del Río.

Esta escritura encarna una poderosa magia en sí misma y se basa en la ley universal de la vibración (ver Tabla 2). Si se usa en forma apropiada crea un torbellino de energía que gira del nivel mental, a través de los niveles astral y etéreo, hasta el físico. Al escribirla, en realidad debes pronunciar las palabras y deletrearlas mientras las escribes, lo que da aliento —el Viento Sagrado de Vida— a los símbolos dibujados. Esta acción impregna los símbolos de la escritura al unir los niveles y causar que se derrame la energía del nivel mental al nivel físico de ser. Una disciplina similar se requiere de monjes y monjas al recitar el oficio divino diario, no en coro colectivo; dicen las oraciones "con aliento", mueven los labios para formar las palabras sin sonido. Así, las palabras litúrgicas no son sólo del nivel mental, sino que se manifiestan por medio de la expresión física del discurso. La palabra se manifiesta en la Tierra.

La *Escritura Paso del Río* no se usa como una transliteración directa, como en la *Escritura Tebana*. Se usa en forma fonética. La tabla 2 muestra que algunos símbolos de la escritura tienen un valor de sonido y se les atribuye a una letra. Por ejemplo, el símbolo de la letra B también tiene el valor del sonido "bi". Se requiere diligencia e ingenio para usar esta escritura, pero los resultados compensan más que el esfuerzo dedicado.

Nota: En el idioma inglés la aclaración sobre el uso fonético de los signos es necesaria; no así en español, en el que las letras sólo tienen un valor de sonido que ya es fonético en sí.

Los Ciclos del Cielo

La tabla 3 muestra las correspondencias de los ángeles maestros de la humanidad. Proporciona el nombre del ángel, el día de la semana para invocarlo, los colores que resuenan ante la vibración del ángel, el número de días en el que suceden los omens del ángel si consiente la petición y la órbita de tiempo, el periodo en que el ángel da resultados.

El ángel Samael suele trabajar rápido, destruye patrones viejos, retirando madera muerta para hacer espacio para la manifestación de nuevas circunstancias. A veces sus bendiciones vienen disfrazadas (el cambio puede parecer atemorizador), pero no dejará que la petición espere mucho.

El ángel Sachiel de Júpiter da resultados en cualquier momento. Es un ángel benévolo que toma la primera oportunidad para producir resultados. Sorpresas agradables suelen ser parte del resultado de su magia.

ÁNGEL	DÍA	COLORES	OMENS	ÓRBITA
Miguel	Domingo	Dorado y anaranjado	7 días	1 año
Gabriel	Lunes, Luna nueva y llena	Plateado, azul oscuro y verde pálido	28 días	3, 9 ó 12 meses
Samael	Martes	Escarlata, rojo y anaranjado	7 días	Suele trabajar rápido
Rafael	Miércoles	Amarillo y negro	7 días	Muy rápido
Sachiel	Jueves	Morado y lavanda	7 días	Cualquier momento
Asariel	Jueves	Verdes	No se le invoca directamente	No se le invoca directamente
Haniel	Viernes	Rosa y azul pálido	28 días	6 meses
Cassiel	Sábado	Azules oscuros y verdes oscuros	3 meses	4 años
Uriel	Sábado	Azul eléctrico y arco iris	14 días	De repente

Tabla 3. Correspondencias de los ángeles maestros.

El arcángel Uriel expresa sus resultados en formas peculiares o únicas; sus manifestaciones afectan el equipo eléctrico y los focos. Sus resultados pueden llegar cuando menos se espera.

Los resultados de la magia en la que se ha invocado al arcángel Rafael son rápidos —produce resultados en la primera oportunidad—sin embargo, a veces llegan y es necesario darles sentido de orden o procedimiento. Las cartas, los avisos o los documentos desempeñan un papel crítico en la concesión de peticiones de Rafael. Si después de invocar al arcángel Rafael, algo en un periódico o una revista te llama la atención, dale seguimiento.

Apéndice III

Dioses y Ángeles

Antes de la llegada de las religiones monoteístas como el Judaísmo, el Cristianismo y el Islam, los seres a los que ahora nos referimos como ángeles eran conocidos como "dioses". Para muchas personas en nuestros días, su camino espiritual consiste en trabajar con estos antiguos panteones —el Señor adorado por medio diversas concepciones— y esta ruta de desarrollo es tan válida para ellos como lo son los otros caminos del espíritu caminados por sus hermanos que adoran sólo al Señor y perciben a los espíritus del ministerio con el nombre de "ángeles".

Los iniciados de la tradición esotérica occidental se dedican por completo al Santísimo. Pero los dioses de los panteones del misterio antiguos aún son invocados ya que son arquetipos poderosos en el inconsciente colectivo. Las formas de los dioses están fijas en los niveles arcaicos de la memoria de la humanidad. Son imágenes potentes que cuando se usan con conocimiento, nos hacen capaces de acceder a aspectos transpersonales e incluso cósmicos de la divinidad.

ÁNGEL	EGIPCIO	GRIEGO	CELTA
Miguel	Ra	Helios, Apolo	Lugh, Nuada
Gabriel	Isis, Khonsu	Selene, Artemis	Arianrhod
Samael	Horus	Ares, Atenea	Morrigan
Rafael	Thoth	Hermes	Gwydion
Sachiel	Sobek	Júpiter	Math, Dagda
Asariel	Nun, Hapi	Poseidón	Manannán
Haniel	Min, Hathor	Pan, Afrodita	Rhiannon
Cassiel	Osiris	Cronos	Ceridwen
Uriel	Set	Uranio	Taliesín

Tabla 4. Ángeles Maestros en la Tradición Antigua.

La Tabla 4 identifica a los ángeles maestros de la humanidad y sus correspondencias con las formas de Dios de las corrientes esotéricas mayores en la tradición del misterio occidental.

Las Jerarquías de la Luz

Existen 10 jerarquías de seres celestiales. Corresponden a las 10 ramificaciones del santo Árbol de la Vida. Cada uno de los 11 nombres divinos es también un título para una jerarquía de luz. Son los siguientes.

La Jerarquía de Eheieh: los primeros iniciadores de la creación. Cada arconte se describe en arte sagrado como las cuatro criaturas sagradas: el águila, el león alado, el toro alado y el humano alado. Son los mensajeros de la voluntad primaria al bien, que eternamente crea y sostiene el universo.

La Jerarquía de Tetragrámaton: el Auphanim de Chokmah. Son los grandes seres cuyos "cuerpos" se indican por los movimientos de las estrellas. Son los originadores de las influencias que fluyen a través de las constelaciones del zodiaco. Son los señores de las estrellas.

La Jerarquía de los Elohim: los seres de Binah, nombrados los Aralim. Son los constructores de la forma de fuerza con espíritu. Todas las formas en la creación son el producto de los Elohim. Aralim significa "los tronos". Cada altar de los misterios consagrado de verdad es apartado como trono del Señor. En consecuencia, tal altar es acogido por uno de los Aralim. Binah es también la esfera del Shekinah superno, el "Pilar de Fuego" que descansa en el altar y desciende de las alturas y sube de las profundidades, con lo que une a los mundos.

La Jerarquía de El: los Chasmalim de Chesed. Entre los seres brillantes están los señores de la compasión —conocidos en Oriente como los bodhisattvas— que han elegido no entrar en el gran descanso de lo absoluto hasta que toda la vida evolutiva se haya liberado de la necesidad de morir y volver a nacer.

La Jerarquía de Elohim-Gibor: los serafines, los ángeles guerreros que tienen la tarea de mantener al mal dentro de sus límites destinados. A esta jerarquía también pertenecen los Geburahim (a veces llamados la policía oculta), cuyo papel es controlar la magia negra y la corrupción en los grupos esotéricos y terminar cuando el mandato viene de arriba. Su poder es el del fuego de la purificación.

La Jerarquía de Yahvé-Eloah-va-Da'ath: son entidades de conciencia solar. Se mueven del Logos Solar —los seres cuya indumentaria física son soles— a la fuerza de Cristo, en sí, que puede expresarse como la tendencia universal a un solo fin con la Voluntad Divina. Esta tendencia redentora es inherente a todos los seres y todas las situaciones.

La Jerarquía de Yahvé-Tzabaoth: aquellos seres que desarrollan el trabajo de los devas de la naturaleza, en toda la creación.

La Jerarquía de Elohim-Tzabaoth: ángeles que trabajan principalmente en la educación de la conciencia. Conforme se dan revelaciones de los planos superiores, esta jerarquía trabaja para ayudar a las unidades en evolución de conciencia a formar nuevos conceptos e ideas que los expresan. Su trabajo es traducir mentalidad abstracta en mentalidad concreta.

La Jerarquía de Sadai-El-Chai: aquellos ángeles y otros seres que tienen la responsabilidad para la encarnación del espíritu. El trabajo de estos "constructores" es la formación de cuerpos etéreos y físicos para la vida encarnada.

La Jerarquía de Adonaí-Malekh: la jerarquía en evolución de la humanidad. La décima jerarquía está destinada a ser la humanidad. En este momento, un pequeño porcentaje de hombres forman un grupo que tiene varios nombres en diferentes tradiciones espirituales: el Israel Espiritual, la Gran Logia Blanca, la Compañía de los Perfectos, el Colegio del Espíritu Santo, la Orden Retirada. Los números de este majestuoso cuerpo crecen de generación en generación y de era en era. Funcionan como intermediarios entre la humanidad encarnada y las otras nueve jerarquías de luz. A partir de ellos —que lo han logrado— todas las escuelas del misterio verdaderas reciben tanto sus enseñanzas como la vitalidad para su trabajo. Cuando la humanidad como conjunto haya alcanzado el destino dado por Dios, incluirá el que simbolizan el humano alado, los cuatro arcones de la corona y la onda de vida humana completa se convertirá en la décima jerarquía, la jerarquía de Adonaí-Malekh.

Debido a la facultad de libre albedrío, sólo la humanidad puede elegir amar, servir y unirse con el Señor. Cuando esto suceda, el Creador —como dice la Cábala— regresará a su trono, que es el corazón humano. Y Dios habrá de ser todo en todo.

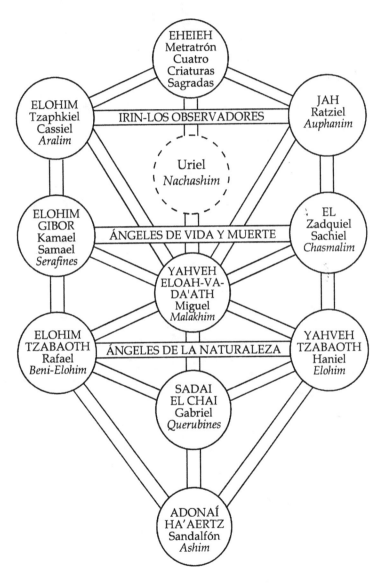

Ilustración 22. Los Seres Celestiales del Árbol de la Vida.

Bibliografía

Blake, William. *Complete Writings*, editado por Geoffrey Keynes. Londres: Universidad de Oxford, 1966.

Coleridge, Samuel Taylor. *Biographia Literaria*, editada por George Watson. Boston, 1993.

Fortune, Dion. *The Sea Priestess*. York Beach, ME; Samuel Weiser, 1978.

Fortune, Dion. *Through the Gates of Death*. Londres: Aquarian Press, 1987.

Hodson, Geoffrey. *Kingdom of the Gods*. Adyar, India: Theosophical Publishing House, 1955.

Leadbeater, C. W. *The Devachnic Plane*. Sussex del Este, Inglaterra: Society of Metaphysicians, 1986.

Mathers, S. L. MacGregor. *The Key of King Solomon*. York Beach; Samuel Weiser, 1972; Londres.

Mathers, S. L. MacGregor. *The Sacred Magic of Abra-Melin the Mage*. Londres: Aquarian Press, 1986.

Owen, Reverendo G. Vale. *Battalions of Heaven*. Londres: Greater World Association, 1959.

Scholem, Gershom. *The Zohar*. Nueva York: Schocken Books, 1963.

San Agustín, *Confessions*. Nueva York: Sheed & Ward, 1943.

The Solemn Benediction of the Most Holy Sacrament; quinta edición, 1983.

Timlett, Peter Valentine. *The Twilight of the Serpent*. Londres: Corgi Books, 1977.

Williams, Charles. *The Place of the Lion*. Grand Rapids, Michigan: Editorial Eerdmans.

Estudio Posterior

El sacerdocio de la luz es una escuela de la tradición del misterio occidental que trabaja sobre todo con las corrientes cabalística, egipcia y hermética de los Misterios. La visión de la escuela es la preparación de magos y maestros para servir a la humanidad en el siguiente milenio. Un curso por correspondencia supervisado, entregado por la escuela, conforma la etapa preparatoria antes de la iniciación en los Misterios. Este curso incluye estudio, meditación y ceremonia como habilidades fundamentales necesarias para el trabajo esotérico que realizan iniciados al servicio del Santísimo.

El término "sacerdote" se usa (como en el antiguo Egipto) en un sentido incluyente, sin relación de género, pero en referencia al logro y responsabilidades de un individuo en los Misterios.

Se puede obtener más detalles sobre el entrenamiento y el trabajo al escribir a:

The Secretary
P.O. Box 9245
Londres NW10 5WG
Inglaterra

Que todos los que hayan leído este libro reciban la bendición en su Gran Viaje

Él es uno y uno solo,
descansa bajo la sombra de sus alas,
y que la luz se extienda a ti.

Acerca del Autor

D avid Goddard es un maestro muy conocido de
la tradición esotérica. Es la cabeza del Sacerdocio
de la Luz, una escuela de los Misterios occidentales.
Es hijo de padre inglés y madre rumana, entró en la
filosofía esotérica desde muy joven. Se entrenó bajo
la tutela directa de ancianos e iniciados de las tradiciones de sabiduría cabalística y hermética. David ha
impartido la sagrada magia de los ángeles durante
casi 20 años y viaja lo más que puede para enseñar en
diversos sitios del mundo. Su don especial como
iniciador dentro de esta tradición ha sido aclamado
en todo el mundo y representa una relación única con
los poderes celestiales.

Otros Títulos

Impreso en Offset Libra

Francisco I. Madero 31

San Miguel Iztacalco,

México, D.F.